ULTIMES PAROLES

Krishnamurti

ULTIMES PAROLES

Entretiens avec
Lakshmi Prasad

Traduit de l'anglais par
Zéno Bianu

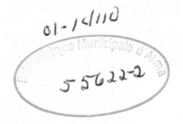
Albin Michel

Collection « Spiritualités vivantes »
fondée par Jean Herbert
Nouvelles séries dirigées par
Marc de Smedt

Édition originale américaine :
CONVERSATIONS WITH J. KRISHNAMURTI
THE MAN AND THE MESSAGE
© 1990 by N. Lakshmi Prasad
Publié avec l'accord de
The Theosophical Publishing House, USA

Traduction française :
© Éditions Albin Michel S.A., 1992
22, rue Huyghens, 75014 Paris

ISBN 2-226-05756-0
ISSN 0755-1746

à Cela
qui s'est manifesté
à travers Krishnamurti
en ce siècle

Préface

Ce livre rassemble six interviews de Krishnamurti menées par Lakshmi Prasad entre janvier 1981 et décembre 1985. Ces entretiens présentent, à l'évidence, un caractère tout à fait unique. L'approche de Prasad, sa capacité à formuler les questions essentielles dépassent en effet largement le champ d'investigation habituel des magazines populaires. En outre, rares sont les journalistes qui ont eu le privilège de s'entretenir régulièrement avec Krishnamurti au fil des années.

Prasad n'est pas, au sens strict du terme, un journaliste. Ce fut le rédacteur en chef de l'*Andhra Prabha Weekly* qui, partageant son vif intérêt pour les enseignements de Krishnaji [1], lui suggéra un jour de conduire ces interviews. Depuis des années, en effet, Prasad avait suivi nombre de conférences

---

1. Le suffixe « ji » témoigne du respect et de l'affection que le disciple éprouve à l'endroit du maître *(N. d. T.)*.

données par le maître et lu la plupart de ses ouvrages. En vérité, il était comme aimanté par le charisme de Krishnaji et tenait absolument à le rencontrer.

On constatera, à la lecture de ces entretiens, l'extrême diversité des sujets ici traités non moins que la clarté et la simplicité avec lesquelles Krishnaji répond aux questions pertinentes de Prasad, jetant ainsi une lumière nouvelle sur certains aspects de son enseignement.

Interrogé sur le progrès scientifique, Krishnaji met l'accent sur la seule question qui vaille : la science a-t-elle contribué d'une manière ou d'une autre à rendre l'homme meilleur? Selon ses vues, les chercheurs, lors même qu'ils sondaient toujours plus profondément la nature et la structure de la matière, ont « négligé la dimension non matérielle de l'énergie ». Pour tout dire, ils manquent indubitablement d'« une approche humanitaire ». Évoquant l'avenir, il affirme plus loin qu'« à moins d'un changement radical de perspective, l'humanité devra faire face à une guerre atomique ».

Lors de ce même entretien, Krishnaji se demande si la religion peut échapper à la croyance, au dogme et au rituel pour se fonder simplement sur l'éthique de la vie quotidienne. Autrement dit, existe-t-il un sacré au sein duquel nous puissions vivre authentiquement?

Krishnaji affirme ailleurs que le cerveau est le

centre des sens. En vérité, chercher à détruire les sens en tentant de les contrôler ou de les supprimer, c'est anéantir le cerveau lui-même. Ceci ne veut pas dire pour autant qu'il faille courir après tous les plaisirs. Mais si le cœur vient à se dessécher, comment pourrait-il percevoir la beauté?

A propos de l'éducation et des valeurs morales, Krishnaji nous interroge : « Apprendrez-vous à votre enfant à respecter ses parents, ses voisins, les arbres, les plantes, l'environnement tout entier? S'il y a amour, respect et affection, alors il y a morale. »

Ses remarques quant à la diffusion de ses propres enseignements se révèlent riches de sens. Selon lui, « l'important, ce n'est pas de répandre les enseignements, mais de les vivre ».

Assurément, ces entretiens constituent un précieux complément aux ouvrages déjà publiés sur Krishnamurti.

P.H. Patwardhan,
ancien secrétaire de la
Fondation Krishnamurti,
Inde

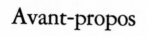

Avant-propos

En 1971, j'achetai *The Penguin Krishnamurti Reader* et m'efforçai de le lire avec toute l'attention requise; mais mes espoirs furent quelque peu déçus et je finis par abandonner ce projet. Quelques mois plus tard, en fouinant dans une bibliothèque, je tombai par hasard sur l'un des volumes de *Commentaires sur la vie,* que je lus cette fois-ci avec le plus grand intérêt. Saisi d'une passion soudaine, je décidai alors d'écumer librairies et bibliothèques – y compris celles de mes amis – à la recherche des ouvrages de Krishnamurti, que je dévorais après mes heures de travail, prolongeant parfois mes lectures fort tard dans la nuit. Je consacrais même mes jours de congés à l'étude desdits ouvrages, qui me remplissaient toujours d'une joie sans mélange. Par surcroît, si j'empruntais un livre du maître à quelqu'un, il me fallait impérativement en recopier les passages les plus importants dans mes carnets avant que de

17

pouvoir m'en séparer. En un mot, Krishnamurti m'avait littéralement envoûté.

A cette époque, je travaillais avec Sri T. Vedantam, qui exerçait la fonction de directeur aux opérations du recensement. (Comme nous avions été camarades de classe au collège, nous entretenions d'excellents rapports en privé.) En décembre 1972, Vedantam, qui admirait lui aussi Krishnamurti, me conseilla de rejoindre pour quelques jours l'école de Rishi Valley, où le maître dispensait régulièrement son enseignement. Naturellement, cette proposition m'enchanta, et je l'en remerciai du fond du cœur.

A cette occasion, je fis la connaissance de Srimati Pupul Jayakar et de Achyut Patwardhan, qui logeaient eux aussi à Rishi Valley. Quelques mots échangés à bâtons rompus leur suffirent pour comprendre que ma ferveur à l'endroit du maître n'était pas feinte. Aussi m'invitèrent-ils cordialement à déjeuner avec lui, aux côtés de quelques autres visiteurs. Mais ce genre de rencontre formelle ne pouvait en aucun cas me satisfaire. Ce que je voulais, c'était entrer directement en contact avec Krishnamurti — mais comment faire? A l'époque, j'étais prêt à escalader les murs et à faire irruption dans sa chambre pour pouvoir lui parler en privé. Quelques années plus tard, lorsque je lui fis part de ces velléités « impétueuses », il se contenta de murmurer : « Bien, très bien », non sans un large sourire.

Par la suite, j'assistai chaque année à ses conférences dans le sud de l'Inde. Mais, quoique je fusse devenu un véritable exégète de son œuvre, dix ans passèrent sans que je pusse l'approcher.

En 1980, un ami journaliste, Sri Pothuri Venkateswara Rao, fut nommé rédacteur en chef de l'*Andhra Prabha Weekly,* hebdomadaire réputé et jouissant d'une popularité considérable en pays telugu. Rao, qui n'ignorait rien de ma passion pour Krishnamurti, me proposa de l'interviewer. Inutile de vous dire que je sautai sur l'occasion. Enfin, j'allais voir le maître de près...

Les entretiens rassemblés dans ce livre reprennent mot pour mot les notes prises tant par ma femme que par moi-même pendant que Krishnamurti répondait à mes questions. Lors d'une de nos entrevues, il me demanda :

– Comment procédez-vous au juste?

– Ma femme et moi, nous notons vos réponses avec la plus grande exactitude. Puis j'essaie d'en transcrire l'esprit en telugu avant de les donner à la publication.

– Pourquoi n'utilisez-vous pas un magnétophone? suggéra Krishnaji. J'ai là un appareil de très bonne qualité.

– J'aimerais conduire l'interview à ma façon, répliquai-je sans hésiter.

La présence d'un magnétophone aurait, à mon sens, donné un caractère artificiel à nos entretiens — alors que je voulais justement préserver l'esprit d'une conversation simple et naturelle. Krishnaji comprit mes intentions et acquiesça en souriant.

Au cours d'une vie consacrée tout entière à l'enseignement, Krishnamurti s'est adressé à des milliers de gens — et ses paroles ont transformé en profondeur les plus sincères de ses disciples. Mais chacun d'entre nous, selon ses moyens, peut à tout moment recevoir sa grâce.

Introduction

L'éveil de l'homme total

Les universitaires comme les chercheurs tendent d'ordinaire à diviser la connaissance en différentes disciplines – physique, mathématiques, économie, sociologie, psychologie, etc. Mais Jiddu Krishnamurti, tout à la fois penseur, philosophe et pédagogue, refuse, lui, d'aborder séparément les champs du savoir. Au contraire, il s'efforce de les réunir en mettant précisément l'accent sur ce qui sous-tend leurs divisions apparentes. Ainsi, dans le domaine des arts, Krishnamurti ne parle pas de musique, de danse ou de théâtre, mais considère ces catégories sous le signe de l'Un. Mieux, il tente de cerner ce « quelque chose » duquel jaillissent toutes les formes de beauté.

Au fond, Krishnamurti semble rejeter la validité de l'intellect, que la plupart des gens perçoivent pourtant comme un outil indispensable au développement de la science, de la technologie et du progrès même de l'humanité. Non qu'il nie l'utilité de l'intelligence pour accomplir ces objectifs précis, mais il soutient que le progrès n'a résolu aucun des problèmes relatifs à la souffrance, à la solitude et au déséquilibre psychologique. Le cœur, malgré toute sa palette d'émotions, ne constitue pas lui non plus un outil adéquat pour surmonter de tels problèmes, lesquels exigent une approche qui dépasse à la fois l'intelligence et l'émotion.

Des eaux troubles de la pensée confuse et des émotions turbulentes du cœur ignorant, Krishnamurti nous conduit au sein d'une zone de lumière et de clarté où l'homme est à même de voir et d'entendre par-delà les sens. Nombre de maîtres se sont certes manifestés sur notre planète, mais la plupart d'entre eux nous ont appris ce que nous devions penser. Krishnaji, lui, semble être le seul qui enseigne à l'humanité *comment* penser, puis comment se débarrasser de l'intellect pour découvrir quelque chose de radicalement différent. Ainsi émerge une nouvelle faculté, transcendant nos capacités ordinaires fondées sur la trilogie pensée-émotion-expérience − et cette faculté, lorsqu'elle est pleinement éveillée, efface toutes divisions et classifications pour considérer le problème humain dans sa totalité holistique. L'humanité, déjà divisée par la race et le langage, a choisi de s'éparpiller en catégories − le penseur et l'intuitif, le sage et l'ignorant, le grand et le petit, etc. Autant de séparations que rejette Krishnamurti pour approcher l'être et la vie comme un tout indissociable.

Partout dans le monde — et c'est là un fait indiscutable —, l'homme est aux prises avec des conflits continus, tant sur le plan intérieur qu'extérieur. Si la chance lui sourit, il peut certes échapper à la souffrance du corps, mais nul ne saurait fuir celle de l'esprit. Selon Krishnaji, il est possible de mettre fin à cette souffrance psychologique. Oui, nous pouvons nous délivrer de ce lourd fardeau afin de percevoir la dimension sacrée de la vie. Et le maître nous invite à participer de tout cœur à cette quête joyeuse.

PREMIER ENTRETIEN
Vasanta Vihar, Madras, janvier 1981

Cette interview fut conduite dans la salle de réception de Vasanta Vihar, quartier général de la Fondation Krishnamurti, à Adyar, Madras. Assistait ce jour-là à l'entretien ma fille Padmapriya, alors lycéenne, qui tenait beaucoup à rencontrer le maître dont elle avait lu tous les écrits. Nous accompagnait également Achyut Patwardhan, ancien dirigeant socialiste et compagnon de longue date du maître.

Sans doute suis-je le seul journaliste qui ait poussé Krishnaji à balbutier quelques mots dans sa langue maternelle, le telugu – alors qu'il n'utilisait plus que l'anglais depuis des décennies. Cette demande fut naturellement formulée sur le ton de la plaisanterie, mais il s'y plia avec beaucoup de sportivité.

La dernière question que je lui posai – à savoir pourquoi les hommes se contentent d'adorer les pionniers qui défrichent de nouveaux territoires au lieu de se lancer eux-mêmes dans l'aventure — rompit la glace entre nous. Et je crois que les lecteurs trouveront sa réponse extrêmement pertinente.

Luttes et conflits

PRASAD – Partout dans le monde, il semble que les communautés comme les individus soient déchirés par des dissensions et des querelles continues. Comment analysez-vous cette situation?

KRISHNAMURTI – Voyez-vous, les conflits qui séparent l'homme d'avec son prochain commencent au niveau individuel, c'est-à-dire au sein de la famille. En effet, l'incompréhension règne déjà parmi les membres d'un même foyer. Ambitions, rêves, aspirations – chacun ne songe qu'à lui-même. Et tout ce qui caractérise la famille se retrouve sur le plan de la communauté, jusqu'à s'étendre à la nation tout entière. Aussi ces conflits doivent-ils être résolus au premier échelon, celui de l'individu, avant que nous puissions passer à l'étape suivante.

Communications

PRASAD – Le développement rapide des communications aurait dû, semble-t-il, engendrer une meilleure compréhension entre les peuples du monde. Or, nous observons partout une recrudescence des conflits idéologiques. N'y a-t-il pas quelque corrélation entre le perfectionnement croissant de la technologie – autrement dit, l'accélération du progrès – et le déclin de certaines valeurs, parmi lesquelles la générosité, qui nous constituent en tant qu'homme? Et si oui, quelle en est la raison?

KRISHNAMURTI – A l'évidence, ces valeurs s'affaiblissent jour après jour, alors que se renforce au contraire l'attachement aux biens de ce monde – argent, sexe et pouvoir. Mais votre question portait sur le caractère inévitable ou non d'une telle situation. A la vérité, l'existence même de la technologie a permis l'expansion généralisée de tous ces désirs. Le moindre politicien court aujourd'hui après le pouvoir. Quant à l'argent et au sexe, ils représentent les facteurs dominants de la vie quotidienne. Ajoutez à cela la formidable vitesse de communication qui caractérise notre époque...

Dans un tel contexte, comment voulez-vous que l'homme évolue autrement? Notre déroute morale est à l'exacte mesure de notre avancée technologique. Quoique nombre de gourous s'étendent en long et en large sur les véritables valeurs, ils ne font strictement rien pour empêcher que celles-ci périclitent – pour ne rien dire des religions établies qui confondent généralement discours et action. Ce qui intéresse les gourous, c'est le pouvoir. Et ceux-là ne vous encourageront certainement pas à aller plus loin.

PRASAD – D'une manière générale, ils n'invitent pas à la discussion...

KRISHNAMURTI – Les gourous se contentent de décréter ce qu'il convient de faire. Mais dès qu'il s'agit de passer aux actes, ils sont introuvables. Occupés à renforcer les bases de leur pouvoir, ils passent leur temps à évaluer la force numérique de leurs disciples.

Alors, qui sauvera l'homme? Ce ne peut être que l'homme lui-même.

Discipline

PRASAD – Alors que vous prêchez le contrôle de soi, vous luttez dans le même temps contre toute forme de discipline imposée de l'extérieur. Pourtant, si l'on considère l'état de l'Inde aujourd'hui, ne pensez-vous pas que toutes les couches de la population devraient êtres soumises à un minimum de discipline?

KRISHNAMURTI — Qui devrait contrôler qui? Est-ce que tous ces gouvernements corrompus sont en mesure d'enseigner quoi que ce soit aux gens? Est-ce que nos institutions pédagogiques sont susceptibles de transmettre la moindre valeur authentique à notre jeunesse? Bien sûr, nombre d'adolescents se tournent vers la drogue et adoptent un comportement suicidaire. Mais comment les professeurs de collège ont-ils obtenu leur place — sinon par la corruption! Et vous voudriez que ceux-là montrent l'exemple à leurs élèves! Croyez-vous que les jeunes soient aveugles? Ils savent bien comment leurs parents agissent, comment ils vivent, et quelles méthodes ils emploient pour faire leur chemin dans la société. D'où cette rébellion, cette révolte même d'une grande partie d'entre eux.

A la vérité, les garçons comme les filles doivent recevoir une éducation adéquate — et comprendre d'eux-mêmes les exigences d'une vie impeccable. Et cela se décide à l'échelon de l'école.

ACHYUT PATWARDHAN — Ce que Prasad semble suggérer, c'est qu'il pourrait y avoir, comme dans les pays communistes, une censure s'exerçant sur certaines formes de littérature ou autres productions artistiques — bref, un minimum de contrôle imposé de l'extérieur...

KRISHNAMURTI — Qui donc m'a enseigné la discipline? A vrai dire, j'ai été élevé dans la plus grande liberté. Jamais personne ne m'a interdit de fumer, de boire de l'alcool ou de manger de la viande. Et pourtant, ces désirs me sont inconnus.

ACHYUT PATWARDHAN – Il y a la discipline que l'on se forge soi-même, et celle que la société vous impose.

KRISHNAMURTI – Cette dernière est sans objet. Souvenez-vous de Bhagalpur... (Krishnaji fait ici allusion à ces voleurs dont les yeux furent crevés lors de leur détention, sur la décision des autorités locales. Ce drame fit grand bruit à l'époque et souleva des tempêtes de protestations.)

PRASAD – Doit-on pour autant laisser un fou en liberté?

KRISHNAMURTI – Et si celui qui l'interne est encore plus fou? Qu'est-ce que la discipline? C'est « apprendre ». Chacun de nous doit impérativement apprendre. Au cours des siècles, nombre de contraintes furent imposées aux moines, aux sectes et aux différents ordres religieux. Voyez le résultat. Aujourd'hui, certains « hommes de Dieu » peuvent abandonner le célibat. Et ils n'auraient certes pas obtenu le droit de se marier s'ils ne l'avaient exigé eux-mêmes...

Deux générations

PRASAD – Vous avez enseigné à plus de deux générations et observé la manière dont celles-ci réagissaient à vos paroles. Décelez-vous quelque différence entre les années 30 et les années 80? N'avons-nous pas perdu aujourd'hui, victimes de la superficialité contemporaine, la ferveur qui caractérisait la première époque?

KRISHNAMURTI – Les gens croyaient alors en quelque chose – et ils n'hésitaient pas à sacrifier leur vie pour un idéal. Voyez la guerre d'Espagne... Fascistes ou communistes, ceux-là étaient habités par une foi profonde.

PRASAD – Comme dans ce pays, lorsque fut engagée la lutte pour l'indépendance...

KRISHNAMURTI – Oui, notre grand mouvement pour la libération... Il en va de même dans chaque pays – d'abord l'idéal, puis la chute. Ainsi semble aller la planète!

Aujourd'hui, tout le monde doute. Le pape disait encore récemment : « Nous devons renforcer notre foi en Jésus et en l'Église. » Qu'est-ce que cela signifie?

PRASAD – Sans doute que le croyant devrait s'employer à fortifier une foi défaillante...

KRISHNAMURTI – Mais l'homme ne croit plus en rien. Plus vous êtes sérieux, plus vous réfléchissez. Autrement dit, plus vous êtes humain, moins vous croyez. A la vérité, si vous ne découvrez une chose par vous-même, vous ne pouvez croire – fût-ce à des merveilles. Mais lorsque vous découvrez cette chose, vous n'avez plus besoin de croyance.

36

Et nul ne saurait alors vous imposer la foi de l'extérieur.

Langue maternelle

PRASAD — J'aimerais à présent vous poser une question plus personnelle. Lorsque vous étiez enfant, sans doute vous exprimiez-vous en telugu, votre idiome maternel. Si je vous parle à présent dans cette langue, me comprendrez-vous? Pourriez-vous dire quelques mots en telugu pour le plaisir de nos lecteurs?

KRISHNAMURTI — Désolé, mais j'ai tout oublié. Au jeune garçon que j'étais, on enseigna une seule chose : « Apprends parfaitement une seule langue, l'anglais — autrement dit, la langue universelle. » Naturellement, je possède aussi quelques rudiments de français, d'italien et d'espagnol. Mais, lorsque j'étais adolescent, mon entourage attendait tout simplement que je m'adresse au monde entier. En vérité, je fus élevé dans une atmosphère quasi aristocratique, parmi des gens qui maîtrisaient l'anglais à merveille.

PRASAD — Je me dois néanmoins d'insister pour satisfaire mes lecteurs...

KRISHNAMURTI — *(Avec le sourire.)* D'accord. Insistez.

PRASAD — Peut-être vous a-t-on conseillé de

vous exprimer uniquement en anglais. Et peut-être n'avez-vous jamais appris que cette seule langue...

ACHYUT PATWARDHAN – Prasad voudrait savoir si vous avez conservé quelques souvenirs du telugu.

KRISHNAMURTI – Sans doute puis-je compter jusqu'à dix.

PRASAD – Très bien. Cela fera l'affaire.

KRISHNAMURTI – *(De façon heurtée.)* Okati, Rendu, Moodu, Na-lu-gu (soit *un, deux, trois, quatre* en telugu).

(Après une longue hésitation, il poursuit en mélangeant les langues : *five, sei,* etc. – avant d'éclater de rire.) C'est tout. Voyez, j'ai déjà glissé vers l'italien.

Sonder plus profond

PRASAD – A chaque époque surgit un être exceptionnel. Celui-là creuse un puits, étanche sa soif et partage l'eau avec les autres. Puis, il passe son chemin. Mais ses « disciples » ne font pas le moindre effort pour creuser à leur tour – et le puits finit par s'assécher. Alors, ils construisent un sanctuaire à cet emplacement et le transforment en lieu de culte. Pourquoi n'ont-ils pas la volonté de creuser par eux-mêmes? Est-ce là le destin de l'humanité?

ACHYUT PATWARDHAN – Voilà une excellente question.

KRISHNAMURTI – (Il regarde le visage de l'interviewer d'un air incrédule, comme s'il lui semblait impossible qu'un journaliste puisse avoir de telles préoccupations.) C'est effectivement une excellente question. *(De façon pénétrante.)* Mais en êtes-vous l'auteur?

PRASAD – Naturellement! Vous savez, j'ai lu nombre de textes soufis, et tout particulièrement Rumi. Et lorsque je m'entretiens de ces sujets avec les gens, certains vont même jusqu'à s'exclamer : « Écoutez-le, il parle comme Krishnamurti! »

KRISHNAMURTI – Bien, très bien. *(Il semble plonger en lui-même.)* Qu'a-t-on enseigné à l'homme, sinon à suivre les plus grands d'entre nous? Et ceci non seulement dans le domaine spirituel, mais dans chaque sphère d'activité. Qu'il s'agisse de politique, d'art ou de science, cela a toujours été la règle. L'un voudra imiter Picasso, l'autre Beethoven. L'homme a été conditionné à mettre ses pas dans les traces des autres. Et dans ce conformisme, qui répond à son désir profond, il se trouve en sécurité. Nous ne voulons pas penser par nous-mêmes, car on nous a appris ce qu'il faut penser – et non comment penser. La société, notre éducation, notre religion nous ont encouragés à imiter, à obéir – bref, à nous conformer. Depuis des milliers d'années, vous me poussez à imiter autrui. Et mon cerveau résiste à toutes vos sollicitations. Que puis-je faire d'autre?

Voyez-vous, l'homme n'aime pas le changement. Avez-vous assisté à la rencontre d'hier?

PRASAD — Bien sûr.

KRISHNAMURTI — Comme vous avez pu le constater, je me suis exprimé devant un grand nombre de gens. Mais combien m'ont vraiment écouté, combien m'ont accompagné sur le chemin — avant de retomber bien vite dans leurs travers? Tels sont les êtres humains.

PRASAD — Permettez-nous à présent de prendre congé.

Je me levai, ainsi que ma fille Padmapriya. Krishnamurti descendit avec nous les escaliers de la maison et dit : « Chaque fois que nous nous trouverons ensemble à Vasanta Vihar, n'hésitez pas à venir me voir. »

L'entretien, qui ne devait pas excéder au départ les vingt minutes, avait duré trois quarts d'heure. Par la suite, Krishnaji eut toujours soin de me traiter en « ami ».

DEUXIÈME ENTRETIEN
Vasanta Vihar, Madras, décembre 1981

La première interview de Krishnamurti en telugu fut publiée en janvier 1981 dans l'*Andhra Prabha Weekly,* accompagnée d'un portrait du maître en couverture et de plusieurs photographies à l'intérieur de la revue. Cet entretien connut un succès immédiat, tant et si bien que la rédaction fut littéralement inondée de lettres et de commentaires élogieux. Le secrétariat de Vasanta Vihar écrivit même au rédacteur en chef pour lui demander quelques copies de l'interview afin de les distribuer aux différents centres Krishnamurti.

Si la vieille génération des théosophes connaissait Krishnamurti depuis fort longtemps, la jeune génération telugu, elle, ignorait tout de lui. Après avoir lu la transcription de l'interview, certains tirèrent même quelque fierté en découvrant que ce maître spirituel faisait partie de leur « patrimoine » – chose, à vrai dire, sans importance au regard de son enseignement. D'autres regrettèrent le fait que

Krishnaji fût incapable de s'exprimer dans sa langue maternelle, mais constatèrent toutefois avec plaisir qu'il pouvait encore compter en telugu. En vérité, il eût été naïf d'attendre autre chose du lecteur moyen que ces remarques trahissant l'esprit de clocher. Au fond, il n'est pas si facile de comprendre que Krishnamurti transcende non seulement toutes les langues, mais encore l'idée même de pensée, dont l'humanité croit avoir quelques raisons de s'enorgueillir.

Lorsque Srimati Sunanda Patwardhan, qui avait préparé notre entretien, apprit à Krishnaji que la personne qui l'avait interviewé au début de l'année demandait à le rencontrer à nouveau, celui-ci acquiesça en disant : « Ah oui! cet homme accompagné de sa jeune fille. Très bien. » Et Sunanda, me rapportant cette remarque, ne manqua pas de plaisanter : « Quoiqu'il s'attaque au parasitage mental lié au souvenir, il semble avoir une excellente mémoire, du moins lorsqu'il le veut bien. »

Le jour de l'interview, j'étais accompagné de ma femme et de ma fille. Krishnamurti nous accueillit dans le salon de Vasanta Vihar et nous invita à prendre des chaises, tout en s'asseyant en tailleur sur le tapis.

— Nous préférerions nous installer auprès de vous, fis-je.

— D'accord, mais à quoi bon toutes ces chaises si personne ne les utilise? répondit-il en riant.

Je posai devant lui un double des questions que j'avais tapées à la machine — ceci pour cerner au mieux les sujets traités et éviter que Krishnamurti ne perde son temps avec des futilités. Je m'étais naturellement imposé cette rigueur vis-à-vis de mes lecteurs.

Krishnamurti contempla un instant la photocopie et dit avec malice :

— S'agirait-il du contrôle de mes connaissances, monsieur le professeur?

— Certes non, répliquai-je sur le même ton. Mais la préparation de ces questions m'a demandé beaucoup de travail — sans doute plus que vous n'en aurez à y répondre...

Sans l'aide de lunettes, alors qu'il était pourtant dans sa quatre-vingt-septième année, Krishnamurti lut chacune des questions et y répondit avec patience. Ma femme et ma fille me prêtaient main-forte en transcrivant elles aussi ses réponses au fur et à mesure — ce qui me fut plus tard d'un grand secours lorsque je dus mettre au propre l'entretien. Comme je l'ai déjà dit, j'étais hostile à l'usage du magnétophone, dont la simple présence aurait introduit un élément de « distance » au sein d'une conversation que je voulais spontanée. Et malgré cela, nous devions impérativement rapporter les paroles de Krishnamurti sans la moindre omission ou distorsion, hormis la réécriture de quelques points ici ou là afin de préserver la structure logique de l'entretien. Naturellement, ma longue familiarité avec les œuvres du maître – y compris les comptes rendus de ses nombreuses conférences – me facilita grandement la tâche.

Science et avenir

PRASAD – Le progrès scientifique porte en lui le meilleur comme le pire. Quel rôle doit jouer la science dans les années qui viennent?

KRISHNAMURTI – Qu'est-ce que la science au juste? Le développement de la science et l'avancée technologique présentent assurément un caractère positif. A l'évidence, les progrès accomplis dans les domaines de la médecine, de la chirurgie et des communications – pour ne rien dire de l'agriculture ou de la biologie – ont rendu de grands services à l'humanité. Mais il convient d'examiner aussi leurs aspects destructeurs.

A la vérité, rares sont les scientifiques – ou les institutions dont ils dépendent – qui se consacrent exclusivement au bonheur du genre humain. A la demande des gouvernements, nombre de recherches sont en effet menées à des fins destructrices. Voilà comment nous percevons la science. Mais quelle est sa nature profonde? Quel est son sens précis?

PRASAD — Nous avons pour habitude de juger la science d'après la forme qu'elle a prise aujourd'hui, que celle-ci soit bénéfique ou négative.

KRISHNAMURTI — La forme sous laquelle elle se présente est une chose, mais la nature de ses objectifs ou de ses perspectives en est une autre. La science a-t-elle contribué à rendre l'homme meilleur, ou à lui apprendre le sens de la beauté? A-t-elle conduit la moindre recherche dans les domaines de l'éthique ou de l'esthétique? Ou n'a-t-elle créé que de nouveaux désirs en l'homme afin d'accroître encore sa confusion? Qu'est-ce que la science? Quelle est sa véritable perspective? Ne consiste-t-elle pas à examiner les choses sans opinion ni préjugés afin de découvrir des faits? Telle devrait être du moins la seule volonté des chercheurs — qui pourraient alors utiliser ces découvertes pour le plus grand profit de l'humanité. N'est-ce pas là leur seul et unique devoir?

PRASAD — Les scientifiques semblent donner l'impression que leur tâche consiste seulement à conduire des recherches et à découvrir les secrets de la nature. Au fond, ils pensent que l'utilisation de leurs découvertes relève du pouvoir politique...

KRISHNAMURTI — C'est précisément là leur erreur. La science a concentré toute son attention sur l'énergie en tant que matière. Ce faisant, elle a placé une énorme capacité destructrice dans les mains de l'homme. Ce n'est pas le genre de recherches qui aurait dû être encouragé. Pourquoi les scientifiques ont-ils négligé les recherches concernant la dimension non matérielle de l'énergie? Cette force infinie aurait pu alors être explorée dans toutes ses ramifications – mais ils se sont limités d'eux-mêmes à la part d'énergie contenue dans la matière. Pourquoi les scientifiques manquent-ils d'une approche humanitaire? Est-ce la faute de la science? Ou bien celle des chercheurs? Ou la responsabilité en incombe-t-elle aux gouvernements qui les encouragent à créer des instruments de destruction? Si c'est l'homme qui est à blâmer, pourquoi donc condamner la science?

L'autre jour, j'ai pris pour la première fois un vol Francfort-Madras sans escale...

PRASAD – Avec le même type d'avions, on peut aussi déverser des pluies de bombes sur des gens innocents. Qu'une chose soit utilisée à des fins positives ou négatives ne dépend donc que de nous.

KRISHNAMURTI – La question est : quel rôle doit jouer la science dans les années qui viennent? A moins d'un changement radical de perspective, l'humanité devra faire face à une guerre atomique. Si les êtres humains sont à même de regarder tout simplement autour d'eux et de prendre enfin conscience, ils peuvent décider de la manière dont ils vont utiliser la science et prendre les dispositions qui s'imposent. Mais, par pitié, n'attendons pas qu'une guerre atomique détruise la plus grande partie de l'humanité pour nous concentrer exclusivement sur les aspects bénéfiques de la science!

Les chercheurs aussi bien que les gouvernements concernés par le bien public devraient s'engager aujourd'hui − et non dans un futur incertain − à ne plus fabriquer d'engins destructeurs, et à supprimer dès maintenant les armements existants. Si de telles résolutions ne sont pas prises aujourd'hui, elles devront l'être par les quelques survivants de l'holocauste nucléaire − si du moins il en est. Pourquoi ne pas le faire dès à présent? Nous sommes responsables de la totalité du monde, et nous devons trouver impérativement l'approche la plus sage.

De l'agressivité des religions organisées

PRASAD − Les religions établies adoptent des positions de plus en plus agressives. En vue d'étendre leurs sphères d'influence, elles s'opposent les unes aux autres, mettant ainsi en péril la paix du monde. Les esprits les plus raisonnables ne devraient-ils pas se rassembler pour prévenir un tel danger?

KRISHNAMURTI − Hormis le bouddhisme, la plupart des religions agissent effectivement ainsi. A vrai dire, la religion est devenue aujourd'hui un gigantesque business. Certaines églises brassent des sommes colossales – pour ne rien dire de leur pouvoir politique. Croire aveuglément en quoi que ce soit et vouloir imposer cette croyance aux autres, voilà bien une chose épouvantable! Il n'est nul besoin de s'étendre sur des religions telles que l'islam ou le christianisme, dont les activités sont bien connues. Mais ce phénomène se répand à présent dans l'hindouisme. Figurez-vous que ces gens ont commencé à construire des temples à l'étranger, dans des villes comme New York, Milwaukee ou Philadelphie. A-t-on vraiment besoin d'exporter toutes les absurdités et autres non-sens qui ont cours sous l'étiquette de l'hindouisme? Doit-on réellement transmettre ces superstitions de pacotille aux autres pays? Qu'espérons-nous au juste en montrant à travers le monde tout ce charabia pompeux?

La religion, d'une manière générale, a perdu son contenu profond. Elle est organisée aujourd'hui comme les grandes entreprises, dont elle partage du reste les méthodes. Derrière ces hiérarchies organisées opèrent toutefois des forces extrêmement puissantes. Celles-ci possèdent tout l'argent nécessaire et n'hésitent pas, le cas échéant, à recourir à la force. En outre, la plupart des journaux préfèrent garder le silence sur leurs activités. Qui voudrait en effet critiquer les religions établies et perdre ainsi des centaines de milliers de lecteurs? En fait, les différentes hiérarchies cléricales se consacrent principalement au renforcement de leurs institutions, et les gourous à l'augmentation du nombre de leurs disciples. Doit-on ici parler de religion? Ou s'agit-il tout simplement de fanatisme? Et quelle est donc la différence entre pareille « religion » et la politique?

Mais revenons à votre question. Peut-on concevoir qu'un certain nombre d'esprits lucides se rassemblent afin de prévenir un tel danger? Je vous répondrai d'abord que les esprits raisonnables ne sont guère légion parmi les religieux. La lucidité ne fait pas d'ordinaire bon ménage avec la superstition. A la vérité, la corruption règne partout, et les soi-disant religieux y contribuent eux aussi. Voyez ces adeptes qui se querellent à longueur de temps, en utilisant des arguments du type : « Mon gourou est plus grand que le tien. » Où sont donc les êtres lucides? Et comment espérez-vous les trouver parmi ces groupes avides de compétition?

Mais n'oublions pas les intellectuels. Ceux-là diront qu'ils n'ont rien à faire de la religion. Car, voyez-vous, même le mot les intimide! Ils préféreraient ne pas toucher à un tel domaine. Mieux, ils ne cherchent même pas à savoir s'il existe une dimension sacrée, et s'il est possible de l'explorer. A considérer tout cela, une seule question vient à l'esprit : la religion peut-elle échapper à la croyance, au dogme et au rituel pour se fonder simplement sur l'éthique de la vie quotidienne? Autrement dit, existe-t-il un sacré au sein duquel on puisse vivre authentiquement?

Mais qui saurait entendre une telle question?

La vérité est-elle réservée à quelques élus?

PRASAD — Selon vos dires, votre enseignement ne s'adresse pas à quelques êtres triés sur le volet, mais bien au plus grand nombre. Par le truchement de vos conférences, des milliers de gens à travers le monde ont pu écouter votre parole. Mais cette égalité des chances est loin d'avoir engendré l'éveil de tous. Seul un petit nombre d'adeptes semble avoir atteint ce seuil décisif. Et il en va de même à toutes les époques. Comment expliquez-vous ce phénomène?

KRISHNAMURTI — Briser le carcan des habitudes n'est pas chose facile. L'homme se soumet à un modèle, tombe dans une sorte de léthargie et évite soigneusement tout ce qui peut le remettre en question. Au fond, les gens cultivent l'amertume et le cynisme. D'un point de vue psychologique, rares sont ceux qui veulent la liberté. Certes, chacun aime être libre d'agir à sa guise — mais qu'en est-il de la liberté intérieure? Celle-ci demande un long et patient travail d'exploration de soi. Détruire le vieux cocon exige en effet une énergie phénoménale.

En vérité, la plupart des gens qui assistent à mes conférences sont surtout poussés par la curiosité. Combien d'entre eux entendent vraiment mener une vie juste et droite? Combien sont prêts à faire l'expérience de ce que je leur transmets, à le mettre en pratique dans leur vie? Aujourd'hui, le matérialisme règne en maître. A l'instar du football en Europe, l'argent est devenu le nouveau dieu du panthéon indien.

La « bonté », le « bien » sont considérés comme des valeurs démodées. Qu'est-ce qu'être bon, pourtant, sinon être holistique – autrement dit, ne pas se mettre en contradiction avec soi-même... Mais la vie moderne nous tient sous une pression à laquelle nous ne semblons pouvoir échapper. Comment pratiquer le bien dans un tel contexte? Notre pays est confronté au problème de la surpopulation – et la simple survie des gens est en jeu. Comment voulez-vous enseigner la bonté à un homme soumis à de telles contraintes?

Au fond, la Vérité n'intéresse pas grand monde. Si l'on est incapable de transcender le jeu des phénomènes pour se mettre en quête de l'essentiel, on reste prisonnier du passé. Et la plupart des gens refusent de voir plus loin. Ce qu'ils veulent, c'est se divertir. Même la religion est devenue un divertissement! Permettez-moi à ce propos une simple anecdote. Un jour que je voyageais en train de Bombay à Delhi, quelques hommes d'affaires se trouvaient dans mon compartiment. Et figurez-vous que l'un d'entre eux me demanda de les distraire par quelques bonnes paroles spirituelles...

PRASAD (incrédule) – Ils voulaient que vous leur serviez de clown?

KRISHUAMURTI – Exactement. Voilà ce qu'ils voulaient. Tels sont nos contemporains. Toutes ces sectes, tous ces gourous, tous ces disciples – voilà le grand divertissement de notre époque! Distraire le peuple, faire toujours plus d'adeptes, devenir toujours plus puissant – voilà la quête du monde moderne! Mais qui pour aller au cœur des choses? Où sont les véritables fervents?

Alors, que pouvons-nous faire? Planter notre graine et espérer que la terre sera fertile...

Comment la parole devient vie

PRASAD – En raison de ma longue familiarité avec vos œuvres, lorsque je lis aujourd'hui un texte religieux – quel qu'il soit – je repère sur-le-champ ses passages fondamentaux, c'est-à-dire ceux marqués du sceau de la plus profonde authenticité. Il semble que vous m'ayez transmis une sorte de clé absolue qui me permette d'ouvrir toutes les portes de l'expérience humaine, sacrée ou profane aussi bien. Qu'en pensez-vous?

KRISHNAMURTI – C'est là votre vision des

choses. D'autres, comme les chrétiens, soutiennent que mon enseignement leur évoque celui de Jésus. D'autres encore affirment que je suis proche du Bouddha. Au fond, chacun – bouddhiste, catholique ou hindouiste – retrouve son prophète ou son dieu dans mes paroles. Mais ce que vous éprouvez semble quelque peu différent.

PRASAD – En voulant vous faire part de mon expérience personnelle, j'ai sans doute mal formulé ma question...

KRISHNAMURTI – Quoi qu'il en soit, je crois que nous pouvons en rester là et passer à la question suivante.

Communiquer en méditant

PRASAD – D'une manière générale, ceux qui ont été touchés par l'« extase » ou la « grâce » perdent toute conscience et semblent incapables de diriger les pas des autres. Vous insistez au contraire sur l'« exaltation contrôlée », comme si vous vouliez élargir le cercle étroit des « éveillés ».

ACHYUT PATWARDHAN – Qu'entendez-vous par « exaltation contrôlée » ?

KRISHNAMURTI – L'expression ne convient peut-être pas ici, mais Prasad semble vouloir dire que...

ACHYUT PATWARDHAN – Comment peut-on

relier ladite exaltation et le sens de la profondeur? N'y a-t-il pas contradiction dans les termes?

PRASAD – Nombre de ceux qui perçoivent « Cela » sont comme frappés de terreur. La parole de ces « fous de Dieu » n'est plus que balbutiement. En vérité, les mots leur font défaut. Ils se montrent incapables de partager pleinement leur expérience avec les autres. Au fond, ils estiment qu'ils n'ont plus rien à faire dans ce monde. Alors que Krishnamurti continue de communiquer même lorsqu'il se trouve en état de méditation profonde...

KRISHNAMURTI – Je comprends ce que vous dites. Mais au lieu de parler d'exaltation contrôlée, abordons la chose sous un angle différent : celui de la passion. Si vous êtes vraiment passionné par quelque chose, vous n'avez nul besoin d'être agité. La passion brûle d'elle-même comme un feu. Et il ne dépend que de vous de l'utiliser ou non.

Songeons à la force d'un fleuve. L'homme peut certes contrôler son débit en construisant des barrages. Mais l'eau reste ce qu'elle est, et continue d'obéir à sa nature indomptable. Elle entend couler sans interruption. Oui, l'eau demeure la même du début à la fin. Certains l'utilisent, d'autres non.

Simplicité des mots

PRASAD – Je vous ai écouté. Je vous ai lu attentivement. Jamais vous n'employez de mots abstrus ou complexes. Et si lorsque vous parlez, surgit inopinément une expression difficile, vous l'approfondissez aussitôt. Cela demande-t-il un effort conscient?

KRISHNAMURTI — Je vous répondrai très simplement. Lorsque je me prépare à parler, je n'ai pas la moindre idée en tête. Si j'utilise un mot qui me semble inexact, je ne le corrige pas sur-le-champ. Je cherche en moi-même. Par exemple, qu'est-ce que le cerveau et qu'est-ce que l'esprit? Quelle est la différence entre les deux? Mais le fait d'approfondir cette différence n'implique aucun effort. Si je dois changer le mot, je le fais. Lors d'une discussion, si quelqu'un suggère un terme plus précis, je l'accepte.

A l'évidence, les mots simples se révèlent bien plus directs que les expressions complexes. Mais ils doivent jaillir naturellement. Du temps de mon adolescence, Mme Besant m'avait vivement conseillé de lire l'Ancien Testament. Et il n'est pas impossible que cette lecture ait influencé ma façon de parler. Quoi qu'il en soit, rien ne vaut la simplicité. De tels mots plongent directement dans le cœur de l'auditeur, sans parasitage ni distorsion. Chacun est ainsi à même d'écouter et de comprendre directement.

Les sens

PRASAD — Chaque fois que l'homme essaie de faire le bien, un obstacle se dresse. Faut-il voir là la conséquence de nos actions passées?

KRISHNAMURTI — Pourquoi parler du passé? Regardez les gens qui vivent autour de vous, voyez leur indifférence, leur manque d'intelligence et de sensibilité. Voilà le grand obstacle. Et nos chefs religieux sont en partie responsables de cela. Ils mettent d'ordinaire l'accent sur la destruction des sens. Ce qui constitue une grave erreur. Le cerveau est le centre des sens. Détruire les sens, c'est détruire le cerveau lui-même.

Naturellement, une trop grande complaisance envers nos sens peut s'avérer périlleuse, mais allons-nous décider de les détruire sur ce seul prétexte? Si l'on veut percevoir la beauté de ce monde, les sens doivent fonctionner correctement. Supprimer la sensibilité au seul motif d'éventuels excès conduirait à un danger encore plus grand.

Imaginions que vous perdiez le sens de la beauté. Alors vous seriez incapable de voir et d'apprécier la splendeur d'une simple fleur. Ce n'est que lorsque vous arrachez celle-ci de la terre pour la mettre dans un pot que le conflit commence. Autrement, quel mal peut-il bien y avoir à la contempler et à jouir de sa beauté? Si le cœur se dessèche, comment pourrait-il percevoir le beau? En vérité, tous les sens doivent fleurir.

Si vous supprimez et détruisez les sens, l'esprit lui-même s'opacifie. Il perd sa sensibilité pour devenir dur et rigide. Nos chefs religieux devraient réfléchir attentivement à cela. Incapables de découvrir la vérité, ils se satisfont des mots et des symboles qu'ils enseignent à leurs disciples. Et tous ces discours ont fini par se substituer à l'action.

Du conflit entre le bien et le mal

PRASAD — A considérer le monde tel qu'il est, les mécréants semblent prospérer alors que les justes continuent de souffrir. Comment interpréter cela?

KRISHNAMURTI — Qu'est-ce qu'un mécréant? Et qu'appelez-vous le « mal »? En outre, combien sont-ils à pratiquer vraiment le bien? Si le « bien » est l'opposé du mal, alors ce n'est pas le bien véritable, mais un prétendu bien né directement du mal. La bonté authentique, elle, transcende la séparation entre le bien et le mal. Un homme profondément bon est un être entier, que rien ne saurait diviser. Celui-là ne dit pas une chose pour faire son contraire. Ce qu'il pense, il le dit; et ce qu'il dit, il le fait.

Le bien qui règne d'ordinaire en ce monde naît

simplement en réaction au mal. Cette forme de bien jaillit d'une pensée dominée par la peur, et tout particulièrement la peur de la société. Celui qui la pratique cherche en fait la reconnaissance du monde, et manifeste du reste sa déception lorsqu'il est incapable de l'obtenir. Ses actes, empoisonnés par de perpétuels conflits, sont dénués de toute valeur. En vérité, toute forme de bien engendrée par la pensée porte déjà en elle les graines du mal.

En revanche, rien ne s'oppose à la bonté véritable. Si le juste veut agir, il le fait sans penser aux conséquences. Oui, il agit, délivré de ses propres pensées comme du jugement des autres.

Dégénérescence de la culture indienne

PRASAD — Trente-cinq années d'indépendance ont plus sûrement détruit la culture indienne que ne l'ont fait des siècles d'invasions successives et de colonialisme. Comment cela a-t-il pu se produire?

KRISHNAMURTI — Je reviens dans ce pays presque chaque année. A l'évidence, sa culture ne cesse de se détériorer au fil des ans. Et c'est là notre responsabilité à tous.

Autrefois, l'ordre — ou plus exactement, la peur — régnait dans notre péninsule, jugulant ainsi les conflits et les comportements déviants. Aujourd'hui, plus personne n'a peur. Et dès que la peur disparaît, les gens agissent comme bon leur semble.

Sept siècles de domination musulmane n'ont pas suffi à anéantir notre civilisation. Et même deux siècles de colonisation anglaise l'ont laissée en grande partie indemne. Alors que trente-cinq années d'indépendance...

ACHYUT PATWARDHAN – Lorsque les Indiens se trouvaient sous le joug de l'étranger, les meilleurs d'entre eux se rassemblaient pour combattre l'envahisseur. Dans leur lutte contre l'occupant, ils se tournaient naturellement vers les fondements de leur civilisation, desquels ils tiraient force et soutien. En conséquence, ils veillaient jalousement à les préserver.

Mais, de nos jours, les gens sont incapables de reconnaître l'ennemi intérieur qui les anéantit. Au fond, la liberté a permis à ce spectre de refaire surface. Tant que nous ne comprendrons pas clairement que c'est cet ennemi intérieur qui détruit notre civilisation, cette absence totale de perspective et le fait même que nous soyons la cause de notre propre chute...

KRISHNAMURTI – Voyez ce qu'il en est depuis que la peur a disparu. Pourquoi la culture de ce pays s'est-elle effondrée? Comment avons-nous fait pour la détruire en si peu de temps? Oui, pourquoi nos valeurs morales ont-elles périclité? Notre civilisation était-elle dépourvue d'une véritable force

intérieure? Ou faut-il croire que sa discipline repo-
sait en grande partie sur la crainte de l'adminis-
tration coloniale? Est-il encore un lieu où le mérite
soit reconnu dans ce pays? Est-il encore quelqu'un
qui soit à même d'admirer l'honnêteté et l'effica-
cité? Ou devons-nous admettre que les plus intel-
ligents d'entre nous ont émigré en Occident?
Lorsque je m'entretiens avec ceux qui sont partis,
que me disent-ils? Que rien là-bas n'entrave leur
accomplissement, et que leur réussite est totale sur
tous les plans...

Est-ce que les universités indiennes sont encore
capables de dispenser un enseignement digne de ce
nom? Encouragent-elles la pratique de nos arts
classiques, ou favorisent-elles au contraire la diffusion d'une culture au rabais?

ACHYUT PATWARDHAN – Alors que nous prenons – et c'est la moindre des choses! – un intérêt
actif à l'exploitation des ressources naturelles de
notre pays et à l'amélioration du niveau de vie des
gens, il semble que nous négligions pour le moins
le développement de nos ressources humaines...

KRISHNAMURTI – Trente-cinq années ont suffi
pour mettre en pièces une culture trois fois millénaire! Nous avons détruit la matrice, les fondements mêmes de ce pays. Que nous réserve l'avenir?
Si l'argent et le pouvoir deviennent nos deux seuls
maîtres, qu'en sera-t-il de nos enfants? N'avez-
vous jamais réfléchi à cela? Vous qui vous contentez

63

d'adorer des dieux sur les collines, de réciter quelques fragments tirés de prétendus livres sacrés, et de continuer à vivre comme si de rien n'était... Que doit-on penser au juste de vos gourous et de leurs hordes de disciples aveugles? En vérité, si les meilleurs d'entre nous ne se rassemblent pas bientôt pour prendre conscience de l'étendue du désastre, nul ne peut dire ce qu'il adviendra de notre « civilisation »...

« Je n'appartiens à aucune classe »

PRASAD – A l'évidence, votre style de vie relève de la grande bourgeoisie. Comment une personne préoccupée par les nécessités de la vie quotidienne peut-elle recevoir votre enseignement?

KRISHNAMURTI – « Grande bourgeoisie »? Il est vrai que je bénéficie d'un statut privilégié. Je voyage d'un continent à l'autre par avion. Et dans chaque pays une voiture est mise à ma disposition. Mais croyez-vous que je fasse cela pour me distraire? Tout comme vous guettez ma visite en Inde, d'autres, ailleurs dans le monde, attendent mon passage chaque année. A vrai dire, parcourir le monde à une telle vitesse n'est pas une bonne chose pour la santé.

Comme vous le voyez, lorque je me trouve en Inde, je m'habille avec trois fois rien. Ce qui n'est pas le cas en Occident, où je porte d'ordinaire des vêtements beaucoup plus coûteux. En fait, cet aspect des choses ne présente aucun intérêt à mes yeux. Mes amis s'occupent de mes dépenses de voyage. Au fond, tout ce dont mon corps a besoin pour rester en vie, mes proches me le fournissent. Les vêtements qu'ils m'offrent, je les porte. La nourriture qu'ils me présentent, je la mange. Et je fais de même depuis près d'un demi-siècle.

Me classer dans la « grande bourgeoisie » signifierait que je dispose d'un revenu régulier, ou à tout le moins d'une rente. Mais je ne possède pas le moindre centime. Je n'ai même pas de compte en banque. Où que j'aille, je ne demande rien, si ce n'est un abri, un peu de nourriture et de quoi me vêtir. Je ne mange pas de viande, je ne bois ni ne fume – et ceci depuis toujours. Je n'ai jamais contracté la moindre habitude. J'ai travaillé toute ma vie. Et c'est le soutien de mes amis qui m'a permis de mener à bien ce travail.

Mentalement, je n'ai rien à voir avec la bourgeoisie. En fait, je n'appartiens à aucune classe – du moins, je l'espère.

Vous me demandez comment un homme confronté aux nécessités du quotidien pourrait tirer quelque intérêt de mon enseignement. Chacun a ses propres problèmes. Et chacun doit les résoudre à son niveau. Mais les difficultés auxquelles un homme doit faire face dans le monde extérieur ne sont pas de même nature que les conflits intérieurs qui l'opposent à lui-même. A question différente, réponse différente. Toutefois, lorsque nous ajoutons une dimension psychologique à ces problèmes, nous ne faisons que les aggraver. Et il ne suffit pas de résoudre ses difficultés économiques pour surmonter ses conflits psychologiques.

Ce que je suis en train de vous dire, c'est qu'il existe une issue à ces conflits. Oui, nous pouvons nous affranchir de ce joug et découvrir la dimension du sacré. Cela ne dépend que de nous. Et nul ne peut nous y contraindre. Il ne s'agit pas ici de morale, mais d'une découverte strictement individuelle qui emplit notre cœur d'une joie sereine — et ne manque jamais de remettre le monde à l'endroit. Je ne vous demande rien d'autre. Il ne tient qu'à vous de faire cette découverte.

TROISIÈME ENTRETIEN

Rishi Valley,
décembre 1982

Avant de se rendre à Rishi Valley en décembre 1982, Krishnamurti avait parlé à Calcutta, la capitale du Bengale occidental, où les communistes venaient d'accéder au pouvoir. La politique ne présentant guère d'intérêt à ses yeux, je ne pouvais décemment lui demander de me confier ses réactions quant à ce meeting. Je m'adressai donc à son vieil ami et associé, Sri Achyut Patwardhan.

Agé de soixante-dix-sept ans, Sri Achyut Patwardhan fut l'un des fondateurs du parti socialiste du Congrès durant la lutte pour l'indépendance de l'Inde. Aux côtés de dirigeants tels que Mahatma Gandhi, Jawaharlal Nehru et Jayaprakash Narayan, Sri Patwardhan a combattu inlassablement pour la libération du pays et l'établissement d'une société socialiste. Lorsque fut lancé le mot d'ordre « *Quit India* » (« Abandonnez l'Inde ») en 1942, Patwardhan entra dans la clandestinité et joua un rôle capital dans la formation d'un « gouvernement parallèle » sur le territoire du Maharashtra, alors que les Anglais dirigeaient toujours le pays.

Comme nombre d'Indiens, Achyutji croyait que l'indépendance, proclamée en 1947, permettrait une transformation radicale du sous-continent indien. Mais il perdit bien vite ses illusions lorsqu'il fut confronté à l'incompétence du nouveau pouvoir. Après quelque temps, il abandonna toute activité politique pour se consacrer entièrement à la renaissance des valeurs humaines. Ce faisant, il se rapprocha de Krishnamurti auquel il avait déjà été associé auparavant – et il n'a cessé depuis de travailler avec lui.

PRASAD – C'est sans doute la première fois que Krishnamurti tient une conférence à Calcutta, ville dirigée par les communistes. Comment les gens ont-ils reçu ses paroles?

ACHYUT PATWARDHAN – Lors des quatre rencontres organisées à Calcutta, ils sont venus par milliers. Et peut-être l'ont-ils écouté avec plus d'attention encore que dans les autres villes.

PRASAD – Pourtant, les gens de Calcutta sont bien connus pour leurs positions idéologiques. En un mot, ils sont résolument athées. Cela ne constitue-t-il pas un obstacle à la compréhension des enseignements?

ACHYUT PATWARDHAN – Si l'on en croit les nombreuses questions qui lui ont été posées, il semble bien que les discours de Krishnamurti aient suscité de fécondes réflexions chez ses auditeurs. Lorsque le pays subissait le joug de l'étranger, les Bengalis ne furent-ils pas les premiers à embrasser la cause de la renaissance culturelle et de la révolution politique? Animés d'un formidable courage, ils ont enduré les pires épreuves pour défendre leurs idées – et ceci jusqu'à la mort, quand les circonstances l'exigeaient. Lorsqu'ils ont cru que le marxisme était à même de résoudre le problème des disparités économiques, ils ont adopté cette idéologie. Avant de déchanter bien vite lorsqu'ils ont perçu l'abîme qui séparait la théorie d'avec la pratique dans les pays dits « du socialisme réel »... Aujourd'hui, la nécessité d'une nouvelle approche quant à toutes les idéologies, politiques et économiques aussi bien, s'avère indispensable et des plus urgentes. Comment transformer la condition humaine, comment accéder à une liberté réelle? Voici les questions fondamentales de notre époque, auxquelles Krishnaji s'efforce de répondre.

Et j'espère que quelques-uns le suivront sur cette voie. Les graines que Krishnaji a plantées dans certains esprits ne manqueront pas de fleurir un jour. Qui entend aujourd'hui aborder de front les problèmes de la vie se doit d'écouter Krishnamurti avec la plus extrême attention.

PRASAD – La plupart des gens considèrent d'ordinaire ces problèmes sous le seul angle de l'économie. Quel profit peuvent-ils donc tirer des enseignements de Krishnaji?

ACHYUT PATWARDHAN – En effet, nous avons tous cru qu'il suffisait de supprimer la pauvreté pour changer les choses en profondeur. Et nous avons dirigé tous nos efforts dans ce sens. Mais la question est aujourd'hui d'une tout autre nature. L'homme s'améliorera-t-il vraiment s'il sort de la pauvreté? Celui qui buvait avant quelque alcool de mauvaise qualité ne se mettra-t-il pas tout simplement au whisky? Celui qui subissait autrefois l'exploitation ne deviendra-t-il pas à son tour un exploiteur? En vérité, la misère n'est pas réductible au champ économique. Et la pauvreté morale, on le sait, peut conduire l'être humain à la pire déchéance. En conséquence, l'amélioration des conditions de vie doit impérativement s'accompagner d'un long et patient travail de rétablissement des valeurs éthiques. Si nous échouons à accomplir cet objectif, alors l'indépendance de notre pays, fruit d'innombrables sacrifices, n'aura servi à rien.

Rares sont les penseurs susceptibles de nous dévoiler l'état dans lequel nous sommes réduits et de réactiver le meilleur de nous-mêmes. Mais ils apparaissent toujours, semant un grain nouveau, lorsque le pays a besoin d'eux. Ceux-là n'ont que faire de l'adulation ou de la flagornerie. Ils cherchent simplement à susciter une écoute authentique et un changement non moins radical de la personne. Oui, écoutons sans faillir ce que nous dit Krishnaji. N'attendons ni chef ni messie. Mais agissons avec foi et sincérité.

Ce jour-là, nous avions rendez-vous dans la vieille pension de famille de l'école de Rishi Valley. Krishnamurti nous accueillit dans le salon, s'assit sur le tapis et nous invita à prendre place sur les coussins. Il reconnut ma fille, Padmapriya, et se rappela qu'il lui avait proposé de venir enseigner à Rishi Valley.

— Pourquoi ne nous avez-vous pas rejoints? lui demanda-t-il.

Je tentai d'expliquer à Krishnaji que Padmapriya avait commencé des études de troisième cycle.

— Pourquoi faire? s'exclama-t-il en riant. Une maîtrise de gestion? N'aviez-vous pas l'intention de venir ici? Ne vous trouvez-vous pas bien parmi nous?

— Je serais fière de travailler à vos côtés, répondit Padmapriya.

Krishnaji la regarda un long moment et dit :

— Avec le consentement de vos parents, naturellement.

Padmapriya rejoignit l'école de Rishi Valley en qualité d'enseignante deux ans plus tard.

Science et superstition

PRASAD – Les progrès accomplis dans le domaine de la connaissance scientifique auraient dû, semble-t-il, réduire sensiblement le champ de la superstition. Force est de constater, au contraire, que nombre de cultes étranges et de pratiques magiques bénéficient d'une popularité croissante. Comment interprétez-vous ce paradoxe?

KRISHNAMURTI – Croyez-vous que la science – hormis sur le plan technologique – ait vraiment aidé l'homme? Certes, nos moyens de transport sont plus rapides, nos salles de bains plus grandes et notre hygiène meilleure. Nous bénéficions en outre des avancées de la médecine et profitons des nouvelles formes de communication. Mais la science alimente également la guerre, et accroît ainsi le chaos du monde. Nos conditions d'existence se sont améliorées, mais nous devons faire face au grand péril que constitue l'invention des armes nucléaires.

Lorsqu'il regarde autour de lui, l'homme ne sait plus que faire. Que recherche-t-il alors? L'évasion et le confort. Et de se précipiter aussitôt sur le premier gourou venu qui se fera un plaisir de l'escroquer... Avec leur magie à deux sous, de tels « maîtres » trompent délibérément leurs adeptes en leur faisant croire qu'ils pourront échapper à leur environnement par quelque tour de passe-passe. A la vérité, ceux-là n'hésitent jamais à duper leurs disciples s'ils peuvent en tirer quelque profit.

Sur ce plan, du reste, les politiciens n'ont rien à leur envier – eux qui se montrent incapables d'assurer la sécurité des plus faibles de nos concitoyens. Où que nous nous tournions, l'arbitraire semble régner. Pour leur confort mental, les gens sont prêts à s'accrocher à n'importe quoi. D'où le retour aux bonnes vieilles superstitions... Aujourd'hui, nos gourous font même construire des temples aux États-Unis.

Voyez comment chacun tente d'échapper à ses problèmes fondamentaux en se réfugiant dans le sport ou d'autres activités du même type. Le sport, expression par excellence du bonheur de jouer, est devenu une énorme industrie, attirant des foules immenses. Mais le sexe et les drogues diverses font encore plus d'adeptes. Et, pour couronner le tout, des dieux, encore des dieux, toujours des dieux! Promettez le salut en trois jours, et vous susciterez aussitôt l'adhésion du plus grand nombre... Tant que les gens poursuivront de telles illusions et ne feront pas l'effort d'une radicale transformation intérieure, les choses resteront en l'état.

La nature de l'homme

PRASAD – La nature originelle de l'homme est-elle bonne ou mauvaise? Existe-t-il en lui quelque disposition innée qui le prédestine au bien ou au mal?

KRISHNAMURTI – Selon les biologistes et les anthropologistes, l'homme descend du singe.

76

Accepter ce fait, c'est prendre conscience de la violence animale que nous portons en nous. Outre cette forme de violence qui plonge dans sa mémoire biologique, l'homme a également appris à mener des guerres. Et l'humanité, comme vous le dira n'importe quel historien, en a connu des milliers depuis ses origines. Chacun sait que la guerre constitue la plus épouvantable des calamités – et pourtant, elle continue de sévir encore et toujours, avec l'aide de nouvelles armes, plus modernes et plus destructrices que celles d'hier. Chacun répète à loisir que le meurtre est une chose horrible. Mais a-t-on pour autant cessé de tuer et d'assassiner sur notre planète? Sur ce lourd héritage ancestral, viennent se greffer par surcroît des problèmes spécifiquement humains, qui se fondent principalement sur notre incapacité à accorder nos actes et nos paroles.

Quant à la lutte entre les soi-disant bons et les méchants, elle se poursuit à l'infini. Vous mettez d'un côté le saint et de l'autre le diable, et vous n'avez plus qu'à représenter pour la énième fois la bataille du bien et du mal. Si l'on en croit certaines peintures rupestres, nos ancêtres partageaient déjà cette conception manichéenne. Mais pareille dualité existe-t-elle réellement? L'homme considère que le bien est l'opposé du mal. Mais si ce prétendu bien n'est que la conséquence du mal, alors il n'a rien à voir avec le bien authentique. Un tel « bien » porte déjà en lui les graines du mal, et se révélera tôt ou tard comme une forme du mal dans un contexte différent.

Observez ceux qui se réclament de la non-violence. En fait, ils recherchent la violence et y réagissent en posant en principe un prétendu idéal de non-violence. Mais celui-ci n'est qu'une suppression de la violence à l'intérieur de la personne – autrement dit, un refoulement. Cette non-violence apparaît comme une simple construction de l'esprit, et ne possède donc aucune valeur en soi. La violence est un fait, et la non-violence une idée. C'est la violence qu'il faut affronter, car elle seule est la réalité. Une fois que vous en êtes délivré, vous accédez à un monde totalement différent.

PRASAD – Le bien et le mal existent-ils dans l'absolu?

KRISHNAMURTI – Non. Le bien authentique n'entretient aucune relation avec le mal. Il jaillit littéralement par-delà le bien et le mal. Celui qui puise à la source de cette bonté parfaite, celui-là est un juste, affranchi de tout conflit.

L'homme est partout le même

PRASAD – Est-ce que la substance de chaque être humain est la même, à ceci près qu'elle s'organise selon des voies différentes?

KRISHNAMURTI – Qu'entendez-vous donc par « substance » ? Certains chrétiens l'interprètent à leur manière, et les fondamentalistes en proposent une version encore différente. Voyez comment les gens en Amérique reviennent à la Bible.

Mais la conscience de l'humanité est partout la même. Où qu'il se trouve, l'homme est en proie aux mêmes peurs, à la même angoisse et à la même souffrance. Ses superstitions, sa foi aveugle, ses tourments, son sentiment d'insécurité, sa recherche du plaisir constituent des traits universels. D'un point de vue fondamental, la conscience demeure partout la même – ou, si vous préférez, nous participons tous de la même conscience. Cette universalité peut naturellement être modulée selon l'époque et les circonstances. Mais votre conscience n'est pas différente de la mienne. Et il en va de même de la pensée que cette conscience engendre. Oui, le fonctionnement de la pensée est le même, que ce soit celui d'un fermier dans son champ ou celui d'un scientifique dans son laboratoire. La pensée de l'homme ne saurait être divisée en catégories telles que « ma pensée » ou « ta pensée ». Selon certains paramètres – géographiques, pédagogiques et sociaux –, l'homme pense d'une certaine façon. Mais ceci ne signifie nullement que sa pensée soit unique en elle-même. La pensée, quelles que soient ses circonstances, reste la pensée. Vous vous comportez d'une certaine manière parce que vous avez grandi dans un certain milieu et vécu un certain nombre d'expériences. Et je me comporte autrement en raison d'un conditionnement différent. L'environnement exerce naturellement une influence sur nous. Ce que l'un aime, l'autre le déteste. Mais cette différence n'est qu'un épiphénomène.

Votre rang social est élevé. Vous détenez le savoir. Vous êtes traité avec respect par chacun. Tout le monde vous adule et vous fait des courbettes. Mais moi qui suis un homme ordinaire, je ne possède rien de tout ça. Votre comportement est donc différent du mien.

PRASAD — Et si nous sommes tous deux des hommes ordinaires?

KRISHNAMURTI — Vous pouvez être honnête, et moi cupide. Vous ne manifestez aucun esprit de compétition, alors que l'ambition me dévore. Vous vivez dans le détachement, alors que je suis victime de tous les attachements. Dans ce cas, votre façon d'agir diffère de la mienne. Mais si vos actes sont d'une justesse parfaite, ils ne manqueront pas de m'influencer. Lorsque nous atteignons dans notre vie ce plan de l'absolue justesse, quelle différence pourrait bien subsister entre vous et moi? Alors notre bonté ne se divise plus; elle profite à tous.

Pour une vie sérieuse

PRASAD — Pourquoi cette « soif profonde » semble-t-elle réservée à quelques-uns?

KRISHNAMURTI — Autrement dit, pourquoi certains êtres sont sérieux, et d'autres non? Mais, avant tout, pourquoi chercher à nous séparer ainsi? Pourquoi ne pas faire preuve de tendresse et d'amour à l'endroit de nos semblables? Oui, pourquoi luttons-nous les uns contre les autres? Pourquoi tant d'hostilité? Ne voyez-vous pas dans quel état misérable nous sommes?

Qu'est-ce qui intéresse l'homme au juste? Le confort mental, la recherche du plaisir et le divertissement. Et sans doute faut-il voir là la raison de son manque de sérieux. Mais regardez donc autour de vous... Qui se montre vraiment sérieux aujourd'hui? Les politiciens? Les riches? Les pauvres? Au fond, combien d'entre nous mènent une vie réellement sérieuse?

De temps à autre, quelqu'un comme moi apparaît et dit : « Considérez la vie avec sérieux. » Et tous de répondre en chœur : « Comme vous avez raison! » Ce qui ne les empêche pas de retomber bien vite dans leurs travers... A peine ont-ils fini de s'enthousiasmer qu'ils reprennent tranquillement leur routine. N'en est-il donc pas un seul pour dire : « Je n'entends rien à ses paroles, mais je découvrirai par moi-même s'il dit la vérité »? Combien d'entre nous possèdent cette énergie? Le Bouddha a parlé pendant quarante ans, mais seuls deux de ses disciples ont pleinement compris son message. Et ces deux-là l'ont précédé dans la mort! Cela n'est-il pas profondément tragique?

« Je suis l'humanité »

PRASAD – Pourriez-vous éclairer cette affirmation singulière : « Je suis l'humanité, et non la collectivité »?

KRISHNAMURTI – Nous sommes tous des êtres humains, et nous devons être considérés en tant que tels. Chacun d'entre nous, pourtant, est généralement traité comme un simple élément d'une masse, et perçu sous le seul signe de la collectivité. Partout et toujours, nos semblables sont sacrifiés sur l'autel des idéologies. En fait, toute véritable solution doit être formulée au niveau de la personne. Traiter les humains comme un troupeau, une entité collective, et les utiliser à des fins politiques ou économiques, conduit inévitablement aux pires horreurs.

Voyez notre école à Rishi Valley. Chacune de nos classes compte environ vingt élèves. Ce qui est fort peu au regard des autres écoles. Néanmoins, j'ai suggéré que ce nombre soit réduit à douze par classe. Et je crois que les professeurs sont en plein accord avec moi. Mon intention est que chaque enfant soit suivi avec l'attention la plus extrême. Alors il pourra véritablement s'épanouir.

Si vous considérez l'homme sur le seul plan de la collectivité, vous perdez automatiquement toute compassion; vous ne pouvez être bon. Pis, vous devenez même indifférent, voire cruel. Au contraire, si je sais que ma conscience est la conscience de tous les êtres humains, je suis à même de traiter l'individu en tant que personne, et non plus comme un élément anonyme perdu dans la masse. Comprenez-vous à présent pourquoi j'affirme être l'humanité?

La conscience humaine

PRASAD – Selon vos propres dires, « si un seul être humain comprend radicalement la peur et la transcende, son comportement influence la conscience globale de l'humanité ». Comment un accomplissement personnel peut-il affecter l'ensemble de l'humanité? Cela s'est-il jamais produit?

KRISHNAMURTI – Vous devez comprendre que la conscience des êtres humains est partout la même. Et si le mal peut la guider, ne peut-elle être sensible au bien? Comme vous le savez, Hitler et Staline ont exercé une influence néfaste sur la conscience de leurs peuples. Mais le Bouddha n'a-t-il pas lui aussi transformé l'histoire de l'Orient? Voilà pourquoi j'affirme que si une personne se montre capable de transcender complètement la peur afin de la réduire à néant, elle est à même de modifier durablement la conscience de l'humanité.

PRASAD — Hitler comme Staline avaient pour seul objectif d'attiser les passions des gens et de générer la haine au sein du peuple. Et la chose ne semble pas d'une extrême difficulté... La tâche du juste n'apparaît-elle pas extraordinairement plus complexe?

KRISHNAMURTI — Rares, il est vrai, sont ceux qui s'engagent dans cette direction. Mais il suffit qu'un seul sorte des sentiers battus pour que quelques-uns le suivent. Alors, tout peut changer. Ceci est un fait, et non une vague théorie sentimentale.

PRASAD — Cela s'est-il déjà produit?

KRISHNAMURTI — C'est à vous d'en juger. Chacun doit décider pour lui-même. Mais permettezmoi d'ouvrir ici une parenthèse. Avez-vous entendu parler des expériences conduites sur la conscience de groupe des rats? Aux États-Unis comme en Australie, des chercheurs ont travaillé sur ce sujet, sans qu'il y eût la moindre consultation entre eux. Ils ont construit d'énormes boîtes divisées en deux parties : l'une éclairée, l'autre plongée dans l'obscurité. Si le rat se dirigeait vers la zone lumineuse, il recevait un choc électrique. S'il s'orientait vers la zone sombre, il recevait de la nourriture. Autrement dit, ces scientifiques ont mis en place un système fondé sur le couple punition/récompense.

Dès qu'un rat comprenait l'enjeu, il se dirigeait naturellement vers la zone sombre, en prenant bien soin d'éviter la lumière. Mais, chose plus singulière, les autres rats du même groupe semblaient à leur tour comprendre aussitôt, et agissaient de façon identique. Selon les postulats de la génétique, la transmission d'une nouvelle information entre un rat et sa progéniture exige une génération entière. Mais ici, par le seul truchement de la conscience de groupe, ladite information était transmise sur-le-champ aux autres rats.

Ces expériences ont été conduites sur vingt-cinq générations de rats. Je ne parle pas ici de l'aspect génétique, mais bien de la vitesse à laquelle les connaissances d'un rat ont été transmises à son groupe. Que ce soit aux États-Unis ou en Australie, les chercheurs, qui travaillaient pourtant séparément, ont abouti au même résultat : la conscience d'un groupe influe indubitablement sur chacun des éléments qui le composent.

Que cela constitue ou non une preuve suffisante au regard du comportement humain, il n'en demeure pas moins vrai que la conscience et la conduite d'un homme exercent une certaine

influence sur son entourage. C'est là un fait indiscutable. Et si la conscience de l'homme peut être
orientée vers le mal, rien n'interdit qu'elle soit
dirigée vers le droit chemin.

Il suffit que quelques-uns donnent l'exemple
pour que notre conscience sociale en soit transformée. Mais où sont aujourd'hui ces quelques-uns à
même de changer le cours des choses? Combien
sont prêts à ne pas suivre la ligne du courant
dominant?

Aider autrui

PRASAD – Pour faire accéder une personne à la
conscience, ne faut-il pas que celle-ci soit déjà
quelque peu consciente? Pouvons-nous espérer
qu'avec le temps cette personne comprendra d'elle-
même?

KRISHNAMURTI – Pourquoi pensez-vous que
vous devez m'aider? Et sur quel plan croyez-vous
pouvoir m'aider? Avant tout, êtes-vous vous-même
conscient? Si vous ne l'êtes pas, ne parlez pas de
conscience. Évoquer la conscience alors qu'on en
est complètement dépourvu, c'est se complaire dans
l'hypocrisie. Si, en revanche, vous êtes conscient,
me croyez-vous assez stupide pour ne pas m'en
apercevoir? Pour ne pas voir comment vous vous
comportez avec votre femme, vos enfants, vos amis

et tous les autres? Si vous vivez dans la conscience, comment pourrais-je être aveugle? Et comment pourrais-je ne pas subir votre influence? Votre attitude, vos gestes, vos paroles me révéleront ce que je dois savoir. Et tout dépendra alors de la façon dont je recevrai ce que vous me transmettez.

PRASAD – Doit-on montrer l'exemple?

KRISHNAMURTI – Surtout pas. Il ne faut jamais s'ériger en modèle.

PRASAD – Ce n'est pas ce que je voulais dire. La conduite d'un homme immergé dans la conscience n'exerce-t-elle pas une influence sur les autres, susceptibles à leur tour d'une transformation profonde?

KRISHNAMURTI – Sans aucun doute.

L'éveil de l'intelligence

PRASAD – Une fois éveillée, l'intelligence grandit-elle? Gagne-t-elle en profondeur? Sinon, à quoi bon vivre longtemps?

KRISHNAMURTI – Ce qui est important, c'est l'éveil de l'intelligence authentique. Mais ne croyez pas que celle-ci obéisse aux lois de la physique... A la vérité, une intelligence mesurable n'est pas l'intelligence.

Bien loin d'être issue de la pensée, l'intelligence naît par le truchement de la vision intérieure. Elle ne relève ni de l'habileté ni de l'accumulation du savoir. En un mot, elle n'entretient aucune relation avec la pensée. La capacité à construire des ponts ou des ordinateurs, le développement des connaissances et le savoir-faire qui en résulte — tout cela n'a rien à voir avec l'intelligence.

Je parle d'une intelligence jaillie de la vision intérieure. Et lorsque s'éveille cette intelligence, apparaît la compassion authentique. Toutes nos capacités doivent agir en harmonie avec cette compassion. Car celle-ci possède sa propre intelligence.

PRASAD — Si l'intelligence s'éveille et ne grandit pas, notre vie ne perd-elle pas tout son sens?

KRISHNAMURTI — Lorsque l'intelligence s'éveille, la compassion imprègne l'être tout entier. Et cela ne signifie pas qu'il faille pour autant rejoindre quelque association religieuse. S'enraciner dans une foi, quelle qu'elle soit, et se consacrer à des œuvres sociales, ne conduit pas la compassion.

A vrai dire, la compassion ne jaillit pas par le truchement de la pensée. Elle n'établit aucune distinction entre vous et autrui. En elle, il n'est plus ni peur ni souffrance. Et la dualité ne saurait trouver place ici. Emplis de cette compassion, comment pourrions-nous nous tourmenter quant à la vie et à la mort? Ce sont l'anxiété et l'insatisfaction qui font naître ces problèmes. Mais si vous viviez pleinement, quel besoin auriez-vous de les ruminer sans fin? La peur s'insinue toujours au sein d'esprits occupés à remâcher le passé ou angoissés par leur devenir. Mais si la peur inhérente au « moi » et au « mien » disparaît, s'évanouit sur-le-champ la dualité du désirable et de l'indésirable. Et en ce point, quelle différence pourrait encore subsister entre la vie et la mort? Vivre dans la compassion, c'est vivre dans la liberté.

L'enseignant et l'enseigné

PRASAD — Vous niez la dualité maître-disciple. Toutefois, lorsque vous vous exprimez, vous suscitez quelque chose de l'ordre de la révélation, en éclaircissant les questions qui nous hantent.

KRISHNAMURTI — Si je dis que lorsque vous parlez, vous résolvez mon problème, alors je dépends de vous. Et toute forme de dépendance constitue un manque de liberté. Lorsque vous commencez à étudier, vous êtes à la fois le maître et l'élève. Et nul n'a besoin d'autrui dans ce type d'apprentissage. Si vous avez besoin de moi, alors je deviens votre guide, votre autorité. Et, comme vous le savez, j'ai toujours lutté contre l'autorité depuis mon plus jeune âge.

Le disciple est celui qui apprend. Qu'apprend-il? La connaissance de soi. Et pour apprendre à se connaître, il faut observer.

PRASAD — J'ai lu et écouté bien des maîtres, mais vous êtes le seul qui m'ait ouvert la voie...

KRISHNAMURTI — Lorsque vous recouvrez la conscience, pourquoi vous attacher au médicament qui vous a guéri?

PRASAD — Vous savez, je suis passé par toute la gamme des gourous, et j'ai lu tant de livres...

KRISHNAMURTI — Cela paraît évident.

PRASAD — Mais la vraie clarté n'est venue qu'à travers votre enseignement.

KRISHNAMURTI — Pourtant le processus réside à l'intérieur de vous. D'autres ont étudié les auteurs dont vous parlez, et ils ont également lu mes livres. Pourquoi n'ont-ils pas noté cette différence dont vous faites état? Si vous, vous l'avez saisie, c'est par le truchement de votre évolution intérieure. En conséquence, c'est vous — et non moi — qui êtes à la fois l'enseignant et l'enseigné. L'homme qui observe évolue continûment jusqu'à ne faire qu'un avec le courant des choses.

PRASAD — Ne permettez-vous donc pas que subsiste la moindre image de vous dans nos esprits?

KRISHNAMURTI — Cela ne pourrait conduire qu'à votre dépendance.

QUATRIÈME ENTRETIEN
Vasanta Vihar, Madras,
janvier 1984

Ce jour-là, nous avions rendez-vous dans la chambre de Krishnamurti au centre de Vasanta Vihar, à Adyar, dans la banlieue de Madras. Après nous avoir accueillis, il s'assit près d'une grande fenêtre dont les rideaux pendaient sur le plancher. Comme le vent soufflait au-dehors, ils voletaient en tous sens. Krishnaji fit cesser leur mouvement en s'en saisissant d'une main ferme. Voyant cela, je lui suggérai de changer de place. Sur quoi il me répondit : « Le mouvement fait partie de leur nature. Ne vous en préoccupez pas; poursuivez. » Et sa main resta cramponnée aux rideaux durant tout l'entretien...

A vrai dire, Krishnaji semble marquer une certaine prédilection pour les postures incommodes. Lors de ses conférences à Saanen, en Suisse, il se tient assis sur une petite chaise métallique à dossier droit et sans accoudoirs, et lorsqu'il parle à Rajghat, à Bénarès, à Rishi Valley, à Madras ou à Bangalore, il s'installe en tailleur à même l'estrade. Je me permis un jour de lui demander pourquoi il choisissait toujours les sièges les plus inconfortables. Sa réponse fusa, tranchante :

– Tout simplement parce que je m'y trouve bien..

De telles chaises permettent sans doute de tenir la colonne vertébrale bien droite. Mais comment expliquer le manque d'accoudoirs? Peut-être ce choix obéit-il aussi à une raison précise. Je ne saurais le dire. Le fait que la chaise du maître soit dépourvue de tout ornement semble en revanche compréhensible. A l'exception du micro attaché à sa chemise, Krishnaji apparaissait ainsi les mains vides, ouvert, vulnérable, fragile et profondément humain.

De même, sa chambre était simple et fonctionnelle : un lit étroit, une petite table avec un carnet et quelques papiers, une chaise de bois à dossier droit près d'un mur, une étagère avec quelques livres, et sa valise. Il déjeunait d'ordinaire dans la salle à manger de la pension en compagnie de quelques proches.

Culture et tradition religieuse

PRASAD – La culture et la tradition religieuse de l'Inde semblent liées de façon indissociable. Devons-nous en conserver certains éléments?

KRISHNAMURTI – Puis-je m'exprimer franchement?

PRASAD – Je vous en prie.

KRISHNAMURTI – A mon sens, il n'y a rien à retenir de cette double entité. Dès que nous parlons de tradition, nous perdons l'essence même de la religion. Un authentique esprit religieux ne saurait naître par le truchement de la tradition. Il apparaît toujours sous le signe d'une nouveauté radicale, et n'entretient donc aucun rapport avec la perpétuation d'une prétendue tradition.

Quant à la culture, elle a complètement disparu de notre pays. Les Indiens courent tous après l'argent, jusqu'à lui vouer un véritable culte. Force est de reconnaître que notre tradition brahmanique quatre fois millénaire – que je ne soutiens ni ne dénonce ici – s'est littéralement désagrégée. Au fond, il n'y a rien à garder de tout cela. Absolument rien.

PRASAD – Nous faut-il faire table rase et tout recommencer?

KRISHNAMURTI – Oui, faites table rase. Sinon vous tomberez automatiquement dans la répétition. Voyez comme l'esprit commercial a envahi toutes les sphères d'activité. Même les temples sont devenus une source de profit! J'ai entendu dire qu'un temple de la région recueille la bagatelle d'un million de roupies tous les trois jours. Et la semaine dernière, à Delhi, j'ai appris de la bouche d'un haut fonctionnaire qu'un riche homme d'affaires du Sud s'était spécialisé dans la construction des temples pour augmenter encore sa fortune. Peut-on décemment appeler cela « religion »? Est-ce là notre « tradition »? Ou ne faudrait-il pas plutôt parler de cynisme, et admettre que la religion est devenue une forme de divertissement industriel? Dieu, quel épouvantable gâchis!

De l'éducation morale

PRASAD – Certaines valeurs morales et religieuses doivent-elles être inculquées à notre jeunesse? Ou faut-il lui apprendre simplement à *observer?*

KRISHNAMURTI – Qu'entendez-vous par « valeurs morales »? Supposons que vous ayez un enfant. Qu'allez-vous lui enseigner? Lui apprendrez-vous à respecter ses parents, ses voisins, les arbres, les plantes, l'environnement tout entier? S'il y a amour, respect et affection, alors il y a morale. Mais la chose se fait de plus en plus rare... Qu'entendez-vous donc par « valeurs morales »?

PRASAD – Enseigner à nos enfants la vie des saints?

KRISHNAMURTI – Croyez-vous donc que les saints étaient tous des êtres accomplis? La plupart d'entre eux passaient au contraire par de graves crises psychologiques, dues en grande partie au développement unilatéral de leur esprit. Enseignez aux jeunes l'art de l'écoute, et celui de l'observation. Si vous vous en montrez capables, alors vous leur aurez appris l'essentiel.

L'enseignement de l'histoire

PRASAD – Dans quelle mesure et sous quelle forme devons-nous enseigner l'histoire aux étudiants?

KRISHNAMURTI – Qu'est-ce que l'histoire? Est-ce le récit des exactions commises par quelques rois avides de butins, de conquêtes et de carnages? Les dates de leur venue au pouvoir ou de leur destitution? Le nombre de souverains qui ont régné sur notre planète? Peut-on vraiment appeler cela l'« histoire »?

Là encore, si un Indien écrit l'histoire, il le fait d'un point de vue spécifiquement indien. A savoir qu'il prendra naturellement parti pour son propre pays. Mais si un historien d'une nationalité différente rapporte les mêmes événements, il leur donnera une tout autre présentation, due à son propre conditionnement.

L'histoire, c'est avant tout l'histoire de l'homme. Et l'histoire de l'homme n'est autre que la vôtre.

PRASAD – On ne saurait dire que l'université accomplisse vraiment cet objectif...

KRISHNAMURTI – Précisément. Et c'est pourquoi il faut enseigner à nos étudiants l'histoire de l'humanité, et non celle de « mon » peuple contre les autres. Oui, montrons-leur comment les peuples ont été écrasés; comment les divisions créées par les nationalismes conduisent toujours à la guerre...

La cause première

PRASAD – Par-delà les phénomènes de ce monde, est-il une cause première?

KRISHNAMURTI – Nous autres Indiens, nous

avons un talent particulier pour multiplier les théories. Puis, nous les analysons et échafaudons des commentaires en vue de les perpétuer à l'infini. Et chacun ajoute sa part à l'édifice.

L'univers, le monde humain et celui de la nature, toutes les espèces vivant sur terre ou au sein des océans, les forêts, les arbres, les fleurs — est-ce que tout cela a une origine? Si telle est bien votre question...

Par quel biais allons-nous attaquer un sujet aussi vaste? L'aborderons-nous du point de vue de l'existence humaine? Notre existence et celle de la nature sont intimement liées. Détruire la nature, c'est nous détruire nous-mêmes. Et c'est précisément ce que nous sommes en train de faire. Nous ne percevons pas la vie comme un tout. Et jamais nous ne l'approchons comme un ensemble global. Mais votre question est : y a-t-il une cause première?

PRASAD — Puisque vous affirmez que tout ce qui a une cause porte nécessairement sa fin...

KRISHNAMURTI — Oui. Tout a une cause. Le chêne naît du gland. Celui-ci est par conséquent la cause du chêne. Si je mange de la nourriture avariée, je souffre de l'estomac. La faim du tigre provoque la mort du daim. Appuyez sur l'interrupteur, et la lumière jaillit. En ce monde, il y a une cause pour chaque chose. Et les êtres humains n'échappent pas à la règle, qui s'exploitent les uns les autres à des fins personnelles. Pourquoi? Parce que nous ne connaissons pas l'amour.

Selon la foi chrétienne, cette cause première n'est autre que le péché originel. Si vous êtes musulman, en revanche, vous attribuerez l'existence de ce monde à la grandeur d'Allah. Et même si vous êtes athée, le schéma classique de l'évolution — de la première cellule jusqu'à l'homme — vous tiendra lieu de vérité.

PRASAD — Mais y a-t-il une cause originelle? Un fait, et non une foi...

KRISHNAMURTI — Pourquoi tenez-vous tant à le savoir?

PRASAD — Sinon, le monde serait vide de sens...

KRISHNAMURTI — Tel qu'il est, ce monde est effectivement vide de sens. Vous éduquez votre enfant et vous l'envoyez au lycée. Il trouve un travail, se marie et fonde un foyer. Observez les choses telles qu'elles sont et tenez-vous-en aux faits. Nous passons par des hauts et des bas; dans ce monde, tout n'est que chagrin ou joie.

PRASAD — Mais quelqu'un doit nous dire que tout cela a un sens...

KRISHNAMURTI — Avant tout, observez les faits. Du point de vue technologique, nous avons créé de véritables merveilles. Et nous n'aurons garde de les nier. Mais voyez comme l'argent a tout envahi. En vérité, l'argent constitue le pouvoir absolu. Quel peut bien être le sens de tout ce lucre? Mais allons plus loin. Quelle est la signification profonde de cette lutte perpétuelle, de ce malheur que nous appelons la vie? Nous sommes la cause de tout cela.

Égaré dans un monde absurde, vous supposez qu'il doit y avoir un sens caché quelque part. Puisque cette existence n'a aucun sens, vous inventez un dieu censé l'avoir créée − et qui doit bien détenir, lui, le secret de pareille absurdité. Mais cette invention n'a elle non plus aucun sens. Voyez si votre vie ici et maintenant possède un sens − et vous connaîtrez alors la réponse. Tant que la pensée est en jeu, rien ne saurait prendre sens.

Où se trouve l'intelligence?

PRASAD − Selon vos dires, l'intelligence imprègne toute chose; elle ne se réduit ni au cœur ni à l'esprit. La tradition, toutefois, affirme qu'elle réside surtout dans le cœur des justes. Comment interprétez-vous cette contradiction?

KRISHNAMURTI − Qu'est-ce que l'intelligence? Aller sur la lune ou construire une voiture exige, dit-on, une certaine intelligence. Mais l'intelligence authentique n'a rien à voir avec l'ingéniosité; elle ne relève ni de l'intellect ni de la pensée. Pourtant, l'activité du cerveau, la conquête de la lune, le développement rapide des communications − pour

ne rien dire de la quête égoïste de chaque homme...
– sont d'ordinaire considérés comme des manifes-
tations de l'intelligence. Sans parler même de toutes
ces guerres que nous conduisons « avec intelligence »... La véritable intelligence, toutefois, ne
saurait être assimilée au fonctionnement du mental,
non plus qu'à l'accumulation illimitée des connaissances.

Alors, qu'est-ce que l'intelligence? Être intelli-
gent, selon l'étymologie latine du mot, c'est rassembler des informations et agir correctement sur
la base de celles-ci. Mais, à mon sens, l'intelligence
renvoie aussi à l'amour et à la compassion. Et
pareille intelligence ne saurait être le simple produit
du temps ou de la pensée.

Selon la tradition, disiez-vous, l'intelligence réside
dans le cœur des justes. Mais qu'est-ce qu'un juste?
Est-ce que je sais si je suis un juste? Et si je le
savais, serais-je encore un juste?

PRASAD – Mais nous savons ce que vous êtes...

KRISHNAMURTI – Comment pourriez-vous
savoir si je suis juste à moins que vous ne le soyez
vous-même? Et si vous ne l'êtes pas, comment me
comprendriez-vous? Comment reconnaît-on un
juste? Réfléchissez à cela.

Le fonctionnement des sens

PRASAD — D'après vous, les sens devraient tous fonctionner à leur plus haut niveau. Mais s'agit-il simplement d'accroître leur réceptivité ou de changer radicalement la qualité de la perception? Pourriez-vous nous éclairer sur ce sujet?

KRISHNAMURTI — Les scientifiques, comme vous le savez, ont divisé le cerveau en deux zones. Mais pouvons-nous imaginer ce que serait le fonctionnement d'un cerveau total, non fragmenté? Pourquoi n'utilisons-nous d'ordinaire qu'un ou deux sens, alors que notre cerveau est à même de les commander tous? A la vérité, nous ne savons rien de l'état parfait où tous les sens seraient pleinement éveillés et fonctionneraient à leur plus haut niveau. Autrement dit, les êtres humains ne savent fonctionner que d'une manière fragmentée. Mais lorsque le cerveau opère pardelà cette fragmentation, lorsque tous les sens sont mis en branle, le moi disparaît complètement — et notre qualité de perception s'en trouve radicalement transformée.

Le rôle de l'expérience dans la quête de la vérité

PRASAD — Qu'est-ce que l'expérience? Joue-t-elle un rôle dans la connaissance de la vérité? Sommes-nous appelés à vivre les expériences dont nous avons ardemment souhaité la venue?

KRISHNAMURTI — Oui, qu'est-ce que l'expérience? Tout est expérience : le sexe, le fait d'aller sur la lune, un accident de voiture, etc. En marchant dans la rue, je vois un chien famélique — cela aussi, c'est une expérience. Mais cette expérience est devenue une forme de savoir. Et cette forme de savoir me sécurise.

L'expérience joue-t-elle un rôle dans la connaissance de la vérité? Pas le moins du monde. Car la vérité ne relève pas du savoir. A proprement parler, elle ne peut donc être reconnue, ni faire l'objet d'une « expérience ».

Vivrons-nous les expériences que nous souhaitons connaître? Naturellement. Nous créons tous notre expérience. Si nous voulons connaître l'ivresse, il nous suffit de boire. Et il en va de même pour tout autre domaine.

PRASAD — Obtiendrons-nous ce que nous méritons?

KRISHNAMURTI — Non, pas ce que nous méritons, mais ce que nous désirons.

Les conversions religieuses

PRASAD — Dans ce contexte de propagande religieuse, l'hindouisme semble rester sur la défensive, et cherche les moyens de s'organiser. Mais certains fanatiques passent déjà à l'offensive. Comment interprétez-vous ce phénomène?

KRISHNAMURTI — A mes yeux, toute organisation cléricale, qu'elle soit chrétienne, hindoue, bouddhiste ou que sais-je encore, n'a rien à voir avec la religion authentique. Croire en telle ou telle conception religieuse, c'est déjà vouloir convertir les autres. Car, voyez-vous, si je garde ma religion pour moi, je me sens seul et perdu... L'hindouisme dit une chose et l'islam une autre — et chacun de lancer sa guerre sacrée, son *jihad,* pour convertir les gens l'arme au poing. Un esprit dogmatique entend, par nature, convertir tous ceux qui l'entourent. Face aux visées expansionnistes de l'islam, l'hindouisme réagit à son tour de la plus violente façon. Et c'est le cycle sans fin de l'agression et de la riposte...

Mais quelle est donc la cause de tout cela? Le dogme, la foi sclérosée et les prétendus livres sacrés! En vérité, nul livre au monde n'est sacré. Le jour où nous nous accepterons en tant qu'êtres humains et non en tant que simples machines cataloguées comme hindouistes, musulmanes ou chrétiennes, où nous comprendrons à quel point nous sommes modelés par la propagande religieuse, alors nous assisterons à un changement radical. Mais aussi longtemps que se perpétuera ce conditionnement fondé sur le dogme et la peur, il y aura des divisions et des guerres.

Ne soyez pas hindou, ne soyez pas musulman, n'appartenez à aucune nation − voilà ce que je vous dis. Mais vous persistez dans l'erreur en vous cramponnant à vos croyances. Rester arc-bouté sur de telles positions est une chose parfaitement insensée. Chaque camp recherche la sécurité, mais comment celle-ci pourrait-elle exister dès lors que l'esprit est divisé? Voyez la profonde stupidité de tout cela!

Science et technologie

PRASAD − Les sociétés occidentales ont développé la science et la technologie de façon si anarchique qu'elles semblent sur le point de se détruire elles-mêmes. Ce qui explique du reste le succès grandissant de l'écologie. En Inde, nous avons pour l'instant évité cet écueil. A considérer l'expérience

106

de l'Occident, quel conseil donneriez-vous aux Indiens?

KRISHNAMURTI — Si nous en croyons les scientifiques, le monde sera anéanti en cas de guerre nucléaire. Non seulement l'Occident — mais la planète tout entière. Et notre pays, comme on le sait, possède lui aussi l'arme atomique. A vrai dire, ce n'est plus une question d'Occident ou d'Orient. Et il n'existe pas en la matière de différence majeure entre ces deux entités. Il n'y a que l'homme aux prises avec sa pensée. Et, victime du plus grand aveuglement, l'homme est en train de se détruire lui-même.

Vous me demandez un conseil. Mais seuls les fous sont capables d'en donner. Voyez comment la technologie occidentale a pénétré progressivement en Orient. Ce n'est plus l'Occident ou l'Orient qui règne, mais bien la technologie. Certes, l'Occident a créé la bombe atomique, mais il a également inventé de nouveaux moyens de communication et d'extraordinaires techniques médicales — toutes choses qui contribuent aujourd'hui au bien-être de notre pays. En vérité, la technologie est nécessaire. Vous ne seriez pas ici à parler avec moi si vous aviez dû voyager en char à bœufs. Et, sans les progrès accomplis dans la médecine, les épidémies continueraient de faire des ravages.

Mais la technologie est également responsable des armes terribles qu'elle a engendrées. Autrement dit, elle porte en elle le bien comme le mal. Ce qui est important, en conséquence, ce n'est pas tant d'arrêter le développement de la technologie, mais bien de transformer la conscience humaine qui utilise ladite technologie.

En tant qu'êtres humains, nous constituons une unité. Nous sommes l'humanité. Détruire un seul de nos semblables, c'est nous détruire tous.

CINQUIÈME ENTRETIEN
Rishi Valley,
décembre 1984

Ce jour-là, l'interview avait lieu à l'école de Rishi Valley. Nous avions rendez-vous avec Krishnamurti dans sa chambre, située au premier étage de la vieille pension de famille qu'il occupait durant une courte période chaque année. Celle-ci présentait du reste le même caractère « spartiate » que la chambre de Vasanta Vihar.

Un jour, dit-on, un oiseau de passage frappa à petits coups redoublés à la fenêtre de cette chambre. Et Krishnaji lui murmura doucement : « Bien sûr, je pourrais te laisser entrer maintenant. Mais quand je quitterai cet endroit, ils fermeront la porte à clef, et tu n'auras pas le droit de rester. » Est-ce que cet oiseau voulait vraiment lui rendre visite? Quoi qu'il en soit, Krishnaji le comprit ainsi.

Existerait-il une communication silencieuse entre les êtres humains et les autres formes de vie? Krishnamurti, lui, avait l'habitude de parler à toutes les créatures vivantes, y compris les arbres! Un jour, alors qu'il se promenait dans une plantation, il repéra deux manguiers stériles, et s'empressa de les avertir que s'ils ne donnaient pas de fruits cette année, ils seraient certainement coupés. Et dans la même saison, les deux arbres recouvrèrent leur fertilité! Krishnaji déclina naturellement toute responsabilité quant à ce « miracle »...

Pour une éducation juste

PRASAD — Comment inciter les jeunes à découvrir le sens ultime de la vie?

KRISHNAMURTI — S'ils sont très jeunes, la question ne se pose pas. Mais voyez plutôt comment les enfants sont traités. Que veulent au juste leurs parents? Qu'ils trouvent un bon travail, qu'ils se marient et qu'ils fondent un foyer. Voyez à quel point la société est corrompue. Comment voulez-vous que dans un tel contexte les enfants trouvent leur voie? Lorsqu'ils entreront dans la vie, leur esprit sera entièrement absorbé par une multitude de problèmes matériels — emploi, mariage, etc. Et ils suivront, en toute inconscience, le chemin tracé par leurs parents...

En conséquence, tout dépend de l'éducation. Encore faudrait-il que notre société ne soit pas minée dans ses fondements... Savez-vous que dans ce pays les gens ne veulent plus travailler de leurs mains? Nous avons récemment offert quelques hectares de terre fertile à un groupe d'adolescents, avec tous les équipements nécessaires pour les mettre en culture. Eh bien, figurez-vous qu'ils ont refusé cette offre parce qu'ils ne voulaient pas se salir les mains! Au cours de ma vie, j'ai planté toutes les variétés de légumes, trait les vaches dans les montagnes de Californie et appris à tout faire par moi-même, y compris la cuisine. Aujourd'hui, les jeunes ne savent même plus faire la cuisine. Dans une société pareille, comment voulez-vous donc qu'ils découvrent « le sens ultime de la vie »? D'où l'importance d'une éducation juste...

Amour et connaissance

PRASAD – Qu'est-ce que la connaissance? Relève-t-elle de l'expérience ou de la compréhension?

KRISHNAMURTI – Que signifie ce mot pour vous? (Il regarde par la fenêtre et désigne une fleur du doigt.) Voyez cette fleur. Du point de vue botanique, je connais ses caractéristiques principales. Mais celles-ci ne constituent qu'une infime partie de sa nature. A la vérité, lorsque je vois cette fleur, je ne la saisis pas réellement dans sa totalité. De même, quoique nous nous soyons rencontrés plusieurs fois durant ces dernières années, puis-je affirmer que je vous connais en profondeur? Non, je ne vous connais qu'en partie. Qui prétendrait appréhender une créature vivante, quelle qu'elle soit, dans sa totalité? Le vivant n'obéit-il pas au changement et à la transformation? Lorsque je dis que je vous connais, j'instaure en fait une division. Car je ne peux vous saisir entièrement. Toute connaissance est partielle.

PRASAD – Peut-on dire que le vivant relève de l'imprévisible?

KRISHNAMURTI – Exactement. Car toute créature suit une évolution spécifique. Mais allons plus loin. Quelle relation entretient la connaissance avec l'amour? L'amour n'est pas la connaissance.

PRASAD – Mais ne cherche-t-on pas à connaître ce que l'on aime?

KRISHNAMURTI – Le savoir se fonde sur l'expérience et met en branle les milliers de souvenirs enregistrés par le cerveau. L'amour relève-t-il du savoir? Non, car le savoir provient toujours de la pensée. Et l'amour n'est jamais le résultat d'une pensée. L'amour n'a rien à voir avec le désir ou le plaisir. Si je vous aime, ce n'est pas parce que vous me donnez du plaisir ou de l'argent. Tout cela n'est que misérable calcul.

En tant que tel, le savoir est additif. Il se fonde essentiellement sur l'expérience. Vous créez une hypothèse, vous la mettez à l'épreuve des faits, et si elle ne convient pas, vous en risquez une autre.

Ce faisant, vous accumulez du savoir. En conséquence, cette forme de connaissance se révèle toujours limitée.

Qu'est-ce que la compréhension? Imaginons que je ne sache pas ce qu'est une voiture. Je décide donc d'en démonter une entièrement. La comprendrais-je pour autant? Non, cette approche participe encore du savoir et de l'habileté.

Notre cerveau gouverne l'entière palette de nos réactions et de nos sensations – plaisir y compris – qui dépendent toutes du champ de la pensée. Comment l'amour pourrait-il se trouver là? S'il se tient quelque part, c'est à l'extérieur de la pensée. L'esprit est différent du cerveau; en fait, l'esprit se tient à l'extérieur du cerveau.

Cela qui connaît

PRASAD – Quel est donc ce « cela » qui connaît, puisqu'il ne s'agit ni de l'intellect ni de l'émotion? Serait-ce une forme d'intelligence spécifique?

KRISHNAMURTI – Qu'entendez-vous par « intelligence »?

PRASAD – En dehors de l'intellect et de l'émotion, il doit bien exister quelque chose par quoi nous saisissons le sens de vos paroles?

KRISHNAMURTI – Éclaircissons d'abord ce terme. L'intelligence, telle que nous la comprenons d'ordinaire, est la capacité à rassembler, distinguer, analyser et rationaliser l'information. Nous avons affaire ici à l'intelligence de la pensée. La pensée a créé la totalité de ce monde technologique. Mais elle est limitée, tout comme l'intelligence qui en dépend. La clarté intellectuelle, comme on le sait, n'entraîne pas automatiquement la sérénité de l'esprit.

Le cerveau est le siège de l'intelligence. En conséquence, il est susceptible de concevoir l'ultime, le Brahman, et tous ses attributs. Mais pareille conception naît encore de la pensée. La personne – moi, mon nom, mes qualités – est-elle différente du cerveau ? Le cerveau relève de la matière, et la pensée apparaît comme un processus matériel qui crée sa propre intelligence.

Mais, en dehors du cerveau, il est une autre forme d'intelligence qui ne connaît aucune limite. C'est l'intelligence de l'amour et de la compassion, laquelle n'a rien à voir avec le monde de la pensée.

La fleur et son parfum

PRASAD – Selon l'aphorisme célèbre, « celui qui sait ne parle pas, et celui qui parle ne sait pas ». Mais vous, vous savez et vous parlez. Votre parole serait-elle alors un simple processus mécanique enclenché par la connaissance ?

KRISHNAMURTI — Examinons les choses plus simplement. Voyez-vous au-dehors cette fleur de jasmin? Son parfum est inimitable. En vérité, le parfum est la parole de la fleur. Vous ne sauriez les séparer. Le parfum n'est pas différent de la fleur.

Exploiter son potentiel

PRASAD — Lorsqu'on lit entre les lignes de votre enseignement, nombre de choses nous sont révélées. Mais elles invitent l'esprit à gagner un territoire encore plus vaste. Comment y accéder?

KRISHNAMURTI — Lorsque nous creusons un puits, nous trouvons de l'eau à partir d'une certaine profondeur. Et la plupart des gens se satisfont généralement de cette première découverte. Pourtant, cette eau finira immanquablement par s'évaporer sous la chaleur du soleil. Si vous voulez aller jusqu'à la source, il faut creuser bien plus profondément. Vous devez avoir la volonté d'aller toujours plus loin. Cela ne dépend que de vous.

PRASAD — Ceci implique un grand travail sur soi...

KRISHNAMURTI — Oui. Lorsque vous creusez, ce n'est pas le puits qui vous donne de l'eau. C'est le fait même de creuser — autrement dit, votre travail personnel.

Le rythme du cerveau et de l'univers

PRASAD – Vous dites souvent que le cerveau possède son propre rythme. Mais l'univers obéit lui aussi à un rythme. Sont-ils semblables?

KRISHNAMURTI – Lorsque votre esprit est calme et que vous respirez profondément jusqu'à prendre conscience de tout votre corps, vous comprenez que le cerveau possède son propre mouvement, son propre rythme. L'univers, quant à lui, relève d'un ordre parfait. Le soleil se lève à une certaine heure; la lune obéit à un cycle régulier. L'univers tout entier, avec ses trous noirs...

PRASAD – Et ses volcans...

KRISHNAMURTI – Oui. L'univers est en ordre. Mais l'homme ne l'est pas. Lorsque nous sommes calmes, nous prenons conscience de notre respiration et de notre rythme biologique. Mais notre pensée crée du désordre. A vrai dire, notre conscience est en perpétuel conflit avec les impulsions – ambition, cupidité, etc. – lancées par notre pensée. Et ce flux continu engendre un état de désordre. L'ordre réel, affranchi de toute contingence, n'est autre que celui de l'univers.

Les femmes et la spiritualité

PRASAD – Si l'on en croit la tradition, les hommes seraient plus aptes que les femmes sur le plan spirituel. Pour ce qui est de la compréhension de votre enseignement, avez-vous noté quelque différence entre les deux sexes?

KRISHNAMURTI – Pas la moindre. A l'évidence, la femme possède certaines particularités biologiques. Lui incombe la tâche de mettre les enfants au monde, et celle, non moins difficile, de leur donner une éducation digne de ce nom.

Quant à l'homme, ses difficultés sont d'une autre nature. Il doit assurer le bien-être matériel de sa famille. Mais au-delà de ces différences évidentes, qu'en est-il? A mon sens, la femme apparaît bien plus réceptive que l'homme, dans la mesure où son ego est moins envahissant...

PRASAD – Mais dès lors qu'elle couve ses enfants, ne se montre-t-elle pas égoïste?

KRISHNAMURTI – Ce besoin de protéger ne tient-il pas tout autant de l'altruisme? Quoi qu'il en soit, l'homme comme la femme doivent faire face à leurs problèmes respectifs. L'important, c'est de ne pas être piégé par le jeu des apparences.

Orientaux et Occidentaux

PRASAD – Comme on le sait, vous refusez le concept de nationalité. Mais, sur le plan de votre enseignement, percevez-vous quelque différence d'écoute entre les Orientaux et les Occidentaux?

KRISHNAMURTI – L'esprit indien a toujours été fasciné par la philosophie. A l'origine de notre peuple, on trouve, parmi d'autres castes, celle des brahmanes. Ceux-ci accordent généralement une grande importance au savoir, à l'apprentissage des textes et des rituels, ainsi qu'à la vie spirituelle. Ils aiment les jeux de l'intellect, les explications ingénieuses, les théories métaphysiques – mais ils sont loin de mettre celles-ci en pratique. Si mes observations sont justes, leur perception intellectuelle n'entretient aucune relation avec leur vie quotidienne.

PRASAD – Il semble y avoir ici un divorce total entre la réflexion et l'action...

KRISHNAMURTI – S'agit-il d'hypocrisie? Peutêtre pas. Mais un tel comportement n'a en tout cas rien à voir avec la religion authentique. L'Occidental, quant à lui, se montre à la fois plus logique et plus sceptique. Mais lorsqu'il comprend quelque chose, fût-ce avec lenteur, il le met en pratique. Au fond, il ne peut se passer d'action.

Et il n'a guère le temps de s'arrêter et de se complaire dans des analyses stériles, comme nous autres lors de la saison des pluies. La mousson, qui ralentit considérablement toute activité quelques mois par an, exercerait-t-elle une influence sur notre façon de voir les choses? Quoi qu'il en soit, la différence entre les Orientaux et les Occidentaux a peut-être quelque chose à voir avec le climat...

La propagande religieuse

PRASAD — Le développement de la foi s'effectue toujours à travers des compromis avec les pouvoirs locaux. Ce faisant, elle peut devenir un véritable mouvement de masse. Mais les enseignements de Krishnamurti, qui se fondent sur le cœur authentique de la religion, ne permettent aucun compromis. Ils se restreignent nécessairement à quelques groupes attentifs. Comment résoudre cette difficulté et faire connaître plus largement votre parole?

KRISHNAMURTI — Nous devons d'abord établir une différence entre la propagande et l'enseignement.

PRASAD — Vous voulez dire qu'il faut vivre directement l'enseignement?

KRISHNAMURTI — Si je fais de la propagande, en me contentant de répéter les paroles d'un autre, je tombe dans la compromission. Voyez le christianisme. Les enseignements du Christ ont été « révélés » quelque soixante années après sa mort – et l'on peut s'interroger à bon droit sur leur degré d'exactitude. Puis, les disciples ont cherché à les propager. Or, ce n'est pas une question de propagande, mais de destin personnel.

Je ne me suis jamais préoccupé de « répandre » mon enseignement. Tout comme le Bouddha du reste – mais les bouddhistes ont commencé à prêcher, détruisant ainsi le sens même de ses paroles. Ce qui est advenu aux enseignements du Christ est advenu aux paroles du Bouddha. Leurs disciples les ont trahis en faisant de la propagande.

Or, il ne s'agit pas de répandre l'enseignement, mais de le vivre. Vous étiez dans la salle tout à l'heure lorsque je me suis adressé à ce groupe. (Krishnamurti fait ici allusion aux enseignants des écoles de Rishi Valley et de Bangalore Valley.) Imaginez que ces cinquante personnes soient capables de vivre réellement ce que je dis...

PRASAD – L'enseignement se répandrait alors de lui-même...

KRISHNAMURTI – S'il vit la vérité au plus profond de lui, un seul être peut changer la conscience de tous. A mes yeux, la propagande n'est autre qu'un processus de destruction de la vérité.

Faut-il se retirer du monde?

PRASAD – Avez-vous déjà senti la nécessité d'une retraite complète? Et si oui, qu'est-ce qui vous a conduit à rester parmi nous?

KRISHNAMURTI – J'ai éprouvé bien des fois ce sentiment. Lorsque l'on ressent profondément la misère et la violence du monde, comment ne pas avoir envie de tirer un trait sur toute cette folie?

PRASAD – De se replier sur soi...

KRISHNAMURTI – Mais quelle est l'utilité d'une telle retraite? Le moine ou le saint qui se retire du monde demeure prisonnier de sa croyance et de ses rituels. Il obéit encore à un dogme. Bref, son détachement n'est pas complet.

PRASAD – Vous continuez de vivre parmi nous, quoique vous dénonciez parfois notre futilité...

KRISHNAMURTI – Mais je n'attends jamais rien. Quel que soit le nombre de ceux qui viennent m'écouter – dix, cent ou mille – je ne me laisse aller ni à l'enthousiasme ni à la dépression. Tel est le détachement du *sanyasin*.

SIXIÈME ENTRETIEN
Vasanta Vihar, Madras, décembre 1985

Nombre de rumeurs couraient sur la mauvaise santé de Krishnamurti et sur le fait qu'il avait dû annuler sa conférence de Bombay pour retourner directement à Los Angeles depuis Madras. L'atmosphère semblait emplie de tristesse et de gravité. Pourtant, dans sa chambre située au premier étage de Vasanta Vihar, nous retrouvâmes le maître tel qu'en lui-même pour cette ultime interview.

Je savais que nous exercions une certaine pression sur lui en tentant de l'interviewer à nouveau. Aussi lui proposai-je de remettre à plus tard notre entretien afin de lui éviter toute fatigue superflue.

– Ne vous tracassez donc pas, et faites ce que vous avez à faire, répliqua-t-il.

– Souhaitez-vous alors que je lise directement les questions?

– Faites pour le mieux, trancha-t-il.

Une certaine lassitude se lisait sur son visage. Juste avant notre rencontre, il avait reçu brièvement une quakeresse venue tout spécialement d'Europe. Et sans doute fus-je le dernier journaliste indien à lui parler avant son départ pour les États-Unis.

Je souhaitais depuis longtemps m'incliner devant Krishnaji selon la manière indienne traditionnelle, mais je connaissais aussi sa répugnance, si ce n'est son aversion, pour cette forme de salut. Il avait un jour confié à l'un de ses proches que si quelqu'un se prosternait ainsi devant lui, il serait obligé de faire de même. Pour Krishnaji, en effet, chaque être humain participe du sacré.

Un autre jour, alors que je me tenais devant lui dans une attitude pleine de déférence, il me « réprimanda » en remarquant :

— Vous n'avez nul besoin de vous incliner devant moi. Vous pouvez le faire ailleurs, si vous y tenez, mais pas ici. Pas entre vieux amis.

Toutefois, je ne parvenais pas à me défaire de ce désir : me prosterner devant Krishnamurti au moins une fois dans ma vie. Aussi, à la fin de notre entretien, alors que nous étions tous les trois assis en tailleur sur le plancher, je sollicitai, non sans quelque hésitation, la permission de m'incliner respectueusement devant lui. « Puisque vous y tenez tant... », répondit-il en souriant. Et, à notre grande surprise, il s'inclina devant nous jusqu'au sol. Décontenancés, nous nous levâmes et le saluâmes les mains jointes. Krishnaji se dirigea alors vers une petite table près du mur, s'assit et nous tourna le dos. D'ordinaire, il nous accompagnait jusqu'à la porte de la chambre. Mais cette fois-ci, ma suggestion, bien stupide au demeurant, semblait l'avoir déçu. « Manifester une trop grande dévotion est une mauvaise chose », avait-il affirmé un jour. Et sans doute étions-nous tombés dans ce travers...

L'égocentrisme

PRASAD — L'instinct de conservation semble engendrer l'égoïsme dans tous les domaines. Comment éviter ce piège?

KRISHNAMURTI — Pourquoi mettons-nous toujours l'accent sur l'ego, sur l'existence d'une conscience séparée? La structure sociale dans son ensemble encourage l'intérêt personnel. Et c'est là un problème qui hante notre histoire : comment créer une société dans laquelle l'intérêt personnel ne soit pas dominant? Les religions, les sectes et les gourous ont, semble-t-il, cherché à le résoudre par tous les moyens. Mais ces gourous avaient-il eux-mêmes surmonté leur égoïsme? A vrai dire, je crois que toutes les formes de pouvoir, bien loin de s'attaquer à ce mal, ont favorisé son expansion.

PRASAD — Sans doute dans l'intérêt du plus grand nombre...

KRISHNAMURTI – Oui, le prétendu intérêt général. Un leurre destiné à cacher les visées personnelles de ceux qui détiennent le pouvoir...

Vous voulez savoir comment sortir de ce piège? Eh bien, chacun doit s'observer lui-même, repérer comment l'égoïsme naît en lui, quelle forme il prend et sous quel masque il se dissimule. C'est là un travail qu'il faut mener sur soi.

PRASAD – En fait, notre approche doit être quasi scientifique, impersonnelle même.

KRISHNAMURTI – Exactement.

Du conformisme

PRASAD – Si j'en crois vos paroles, vous liez le conformisme à la « violence »...

KRISHNAMURTI – Par nature, l'homme se conforme aux choses. Et le monde extérieur lui impose un moule spécifique. La violence vient du fait qu'il tente désespérément de s'adapter à cet environnement. Imaginons que vous fassiez carrière dans la politique. Si vous voulez réussir, vous devrez vous conformer aux exigences de cette société, qu'elles soient justes ou non. Et chaque décision sera pour vous une source de conflits sans fin. Ainsi la violence s'exerce-t-elle à la fois sur l'individu et sur la société...

Du terrorisme

PRASAD – On connaît les méfaits du nationalisme, mais que penser du supra-nationalisme, qui utilise des actions terroristes pour atteindre ses objectifs?

KRISHNAMURTI – Quel est le but d'un terroriste? Tout simplement de vous épouvanter. Quelle que soit la méthode employée – prise d'otages, assassinat, sabotage, etc. – la terreur est un moyen de parvenir au plus vite à ses fins.

Pourquoi un individu rejoint-il une organisation terroriste? Parce qu'il ne peut atteindre son objectif par les moyens habituels. Si je suis dans l'incapacité de vous convaincre, je vous impose mes idées par la force...

De la censure en Union soviétique

PRASAD – Vos livres n'ont pas droit de cité en Union soviétique, quoique les autorités semblent tolérer la diffusion d'autres textes religieux [1]. Représenteriez-vous un danger plus grand?

---

1. Les livres de Krishnamurti, traduits en russe, sont aujourd'hui diffusés en Russie. (Note de l'éditeur.)

KRISHNAMURTI – Je suis au courant de cette censure. Si le pouvoir autorise la publication de livres dits religieux, c'est tout simplement parce qu'il les considère comme inoffensifs. Quant à mes propres écrits, ils parlent beaucoup de liberté, ce qu'un régime dictatorial ne saurait naturellement supporter. A ce propos, je ne résiste pas au plaisir de vous raconter une de ces histoires dont les Russes sont friands.

Un ivrogne parcourt la place Rouge en hurlant de toutes ses forces : « Brejnev est un fou furieux! » La police l'arrête aussitôt et le conduit devant un juge. Celui-ci, après avoir écouté les charges qui pèsent contre l'accusé, le condamne à vingt-deux ans de prison. A l'énoncé de la sentence, l'homme tente de plaider sa cause :

– J'aurais à la rigueur admis que vous m'infligiez deux ans de prison pour ce délit. Mais une peine aussi lourde, cela passe les bornes!

– Vous avez raison, répliqua le magistrat. Pour ivresse sur la voie publique, je vous ai effectivement condamné à deux ans... Quant aux vingt autres années, c'est la peine qu'on inflige d'ordinaire à ceux qui ont révélé un secret d'État!

PRASAD – Ne sont-ils donc pas sensibles à la clarté et à la lumière que transmettent vos écrits?

KRISHNAMURTI – Ils n'en veulent pas. Leur seul et unique désir, c'est que leur système se perpétue à l'infini.

L'esprit humain au XXIe siècle

PRASAD — Nous approchons à grands pas du troisième millénaire. Par-delà les prévisions économiques et politiques, quelle approche spirituelle devrions-nous adopter pour résoudre les problèmes de ce pays, et du monde aussi bien?

KRISHNAMURTI — Les difficultés que connaît l'Inde sont immenses — pauvreté, surpopulation, etc. Et notre gouvernement semble incapable de les maîtriser. En outre, nous sommes entrés de plain-pied dans l'âge de l'informatique — et il n'est pas exclu que l'ordinateur puisse un jour surclasser l'homme. Il est déjà à même de rivaliser avec le cerveau humain. Et sa « pensée » se déplace indifféremment dans le passé ou le futur. Alors, qu'adviendra-t-il du cerveau humain? Va-t-il s'atrophier et dépérir?

Et que devons-nous penser de notre système pédagogique? Pourquoi éduquons-nous nos enfants? Pour qu'ils deviennent tous de bons techniciens, occupés exclusivement à gagner de l'argent et à mener une vie fondée sur le plaisir? Si l'éducation ne vous enseigne pas à observer la vie et à la comprendre, quelle est donc son utilité?

Vous vous entretenez avec moi chaque année,

puis vous publiez ces interviews. En est-il au moins quelques-uns pour les lire en profondeur?

PRASAD — Sans doute les plus consciencieux...

KRISHNAMURTI — Mais ils n'accordent aucune attention à ce que je dis. A la vérité, personne ne veut plus apprendre.

L'ultime salut

La dernière conférence de Krishnamurti à Madras eut lieu le 4 janvier 1986 au soir. Le lendemain après-midi, les enseignants de Rishi Valley, auxquels nous nous étions joints, prirent congé du maître. Je surgis de derrière le groupe et me dirigeai vers Krishnaji.

— Hé! dit-il en riant, j'étais sûr que vous étiez caché derrière tout le monde.

— Puis-je vous prendre les mains? demandai-je.

— Naturellement, répondit-il — et il se saisit aussitôt des miennes.

Alors — c'est du moins ce que me confirma ma femme plus tard — j'inclinai la tête jusqu'à toucher nos mains réunies. A vrai dire, je n'étais plus conscient de rien.

Krishnaji quitta donc l'Inde pour la Californie, où il s'éteignit le 17 février 1986. A la demande de All India Radio, je lui rendis le lendemain un ultime hommage sur les ondes.

Épilogue

Krishnamurti et notre époque

Quelques années ont passé depuis que Krishna-murti s'est éteint en février 1986, à l'âge avancé de quatre-vingt-onze ans. Et le lecteur se demandera sans doute quelle est réellement la pertinence de son message au regard de notre existence effrénée, où le désordre semble tenir lieu de sens de l'orientation.

Alors que s'effondrent les derniers bastions du totalitarisme, nous assistons aujourd'hui sur toute la planète au réveil de la liberté. Mais l'homme, victime d'un formidable conditionnement, ne parvient à penser cette liberté qu'en termes politico-économiques – ce qui restreint considérablement son champ d'action. Il ne sait pas encore s'affranchir de l'idée même d'autorité pour accéder à une réelle délivrance. Bien qu'il n'en soit pas conscient, c'est pourtant cette liberté absolue qu'il recherche, au regard de laquelle toutes les autres « libertés » ne sont que tristes parodies. Tant que ce désir fou de liberté continuera d'emplir le cœur de l'être humain, les paroles de Krishnamurti garderont toute leur force. Celui-ci n'a-t-il pas affirmé dès sa prime jeunesse qu'il était déterminé à « délivrer l'homme de toutes ses contraintes »?

A dire vrai, l'homme moderne ne croit plus en rien. Il n'est plus disposé à admettre l'existence d'un dieu qu'il ne saurait voir de ses propres yeux. Pas plus qu'il n'est prêt à accepter la réalité d'un paradis ou d'un enfer dont il n'a aucune expérience directe. Et à mesure que s'étend cette incrédulité, disparaissent la prétendue moralité et le code de bonne conduite que nous avions adoptés sous l'emprise de la crainte lors des siècles passés.

En outre, il se révèle bien difficile de convaincre nos contemporains que le monde n'est réel qu'au sens apparent du mot, et que la réalité physique qu'ils perçoivent apparaît en dernier ressort comme un assemblage d'atomes et de molécules disposés selon un ordre spécifique. Aussi l'homme ne croit-il que ce qu'il voit et ressent en lui-même. A ses yeux, « voir c'est croire ». Autrement dit, il ne saurait croire ce qu'il ne peut vérifier par le truchement de sa propre perception. Les religions traditionnelles, qui exigent foi et croyance avant même que leurs adeptes ne puissent réellement « voir », semblent incapables de répondre à ce besoin profond. A mon sens, seul Krishnamurti y parvient.

Aux yeux de Krishnamurti, celui qui croit et

celui qui ne croit pas naviguent sur le même océan. L'un comme l'autre ne sauraient être entièrement sûrs de l'objectivité propre à leurs « réels » respectifs. A savoir que leur image de la réalité dépend strictement de leur point de vue. A ce dilemme, Krishnamurti apporte une solution simple : « Si vénérable et si ancienne soit-elle, ne croyez en aucune vérité qui vous soit imposée de l'extérieur. » Pratiquez le doute.

Quand bien même auriez-vous atteint une étape avancée dans votre développement personnel, continuez de douter. Oui, chacune de vos expériences doit subir l'épreuve du doute. Alors vous atteignez cet état de vide, délivré des conditionnements du monde. Instant de parfaite inconnaissance et de grande innocence d'où jaillit précisément la véritable compréhension. Alors, par-delà les ombres du doute, naît en vous une certitude singulière, et du tréfonds de cette certitude sourd un authentique sentiment de responsabilité à l'endroit de la création tout entière.

Mais votre certitude n'est pas celle d'autrui, tout comme votre désir est différent du sien. Vous devez douter à la fois de la croyance et de l'incroyance, car toutes deux procèdent de la pensée – quand seul le cœur est à même de connaître en profondeur. Vous devez découvrir par vous-même s'il existe une réalité supérieure et, lors de ce processus de déconditionnement total, apprendre à vous observer avec toute la vigilance nécessaire. Une telle observation, ou conscience, est le seul outil dont dispose l'homme à tout moment de sa vie. Libre à lui de l'utiliser ou non... Alors tout ce qui constitue notre conditionnement — opinions, attachements, préjugés, illusions, etc. — est comme ramené à la surface, puis brûlé à la lumière de la conscience. Alors l'individu accède à la liberté authentique. Et, pour un être libre, chaque problème porte en lui-même sa nécessaire résolution, laquelle s'accomplit spontanément, automatiquement, et sans la moindre préméditation. L'acte qui jaillit ainsi à la pointe de l'instant apparaît marqué au sceau d'une liberté exempte de toute « contamination ». Il n'est la propriété de personne — et nul ne saurait donc se l'approprier.

Ainsi se développe un processus intérieur de vision et d'action qui ne cesse de s'affiner tout au long de la vie. Tout acte surgi d'une telle perception est le fruit d'une sagesse libératrice. En cette époque moderne, alors que s'essoufflent les systèmes religieux fondés sur la foi et la croyance, Krishnamurti offre la réponse que nous attendons.

Remerciements

Je voudrais ici exprimer ma gratitude aux éditeurs de l'*Andhra Prabha* et de l'*Andhra Jyoti,* hebdomadaires dans lesquels ces interviews ont été publiées à l'origine. Ma reconnaissance va aussi à Sri M.A. Hamid de Rishi Valley, qui m'a obligeamment confié les photographies de Krishnamurti présentes dans ce livre.

Je remercie également P.H. Patwardhan, ancien secrétaire de la Fondation Krishnamurti en Inde, pour sa préface. Et je n'ai garde d'omettre son frère, Sri Achyut Patwardhan, dirigeant socialiste de grande envergure et compagnon de longue date du maître (voir au début du troisième entretien), qui participa par deux fois à nos conversations. Je suis encore redevable à Sunna Patwardhan et à Radhika Herzberger, qui ont organisé nos rencontres à Madras — ainsi qu'à Sri G. Narayan et à Mme Thomas, dont l'assistance me fut précieuse à Rishi Valley.

Je voudrais aussi remercier ma femme, Srimati Damayanti, sans laquelle je n'aurais pu mener à bien ce travail. Férue elle-même des enseignements de Krishnamurti, elle s'exprime à l'occasion en telugu sur All India Radio (Hyderabad), en cherchant à montrer leur pertinence au regard des questions féminines. J'exprime encore ma reconnaissance à mon gendre, S.P. Uma Rao, maître assistant à l'université de Southwestern Louisiana, qui a facilité mes contacts avec l'élite intellectuelle et les éditeurs de ce livre aux États-Unis.

Table

« Spiritualités vivantes »
Collection fondée par Jean Herbert
au format de poche

154

CET OUVRAGE
A ÉTÉ ACHEVÉ D'IMPRIMER SUR ROTO-PAGE
PAR L'IMPRIMERIE FLOCH À MAYENNE
POUR LES ÉDITIONS ALBIN MICHEL
EN FÉVRIER 1992

N° d'édition : 12160. N° d'impression : 31830.
Dépôt légal : mars 1992.

Imprimé en France